KU-211-592

País COLOMBIA

COLOMBIA The Country

País Colombia
ISBN 970-850-742-052-4
Tercera edición, septiembre de 2014

Gerente General
Gustavo Casadiego Cadena

Directora Editorial
Bernarda Rodríguez Betancur

Editores
Andrés Londoño, Mateo Cardona

Asesores
Gloria Triana (gentes e idiosincrasia), Lácydes Moreno (gastronomía), Germán Castellanos (arquitectura), Hollman Morales (deportes extremos), Ángela Sánchez (ecoturismo), Andrés Barragán (etnias indígenas).

Fotografía
Fotocolombia.com, Stephan Riedel, Alfredo Máiquez, Juan Carlos Balcázar, Mauricio Ánjel, Cámara Lúcida, Germán Montes, Carlos H. Arango B., Dora Franco, Iván Romero, Instituto Colombiano de Antropología e Historia.

Diseño y Diagramación
Valquiria Visual Ltda.

Impresión
Legis S.A.

País COLOMBIA

COLOMBIA The Country

ediciones gamma

Contenido
Content

Pág. 1: Villa de Leyva, Boyacá. Pág. actual: Pueblo lacustre, Ciénaga Grande, Magdalena. Pág. 6: Iglesia Las Lajas, Nariño. Puerto Estrella, calle colonial, Cartagena, Bolívar. Pág. 9: calle del centro histórico de Bogotá. Pueblo pesquero, Bahía Solano. Pág. 10: Castillo de San Felipe, Cartagena.

ZONA DE COCHES
CALLE STUART

Presentación

Presentation

Desde que lo comprobaron en exploraciones a pie y a lomo de mula naturalistas como José Celestino Mutis y el barón von Humboldt, no se puede negar que Colombia es un país de contrastes. Ubicado en la esquina norte de Suramérica, en plena zona tórrida americana, donde el macizo sólido de la cordillera de los Andes termina en triple ramificación al norte del Ecuador, con extensas costas en el Caribe hoy con un sabor tradicional y el Pacífico considerado por muchos el océano protagonista del siglo XXI, con islas en ambos mares y, hacia el oriente y el sur, con selvas que convergen en las cuencas de los ríos Amazonas y Orinoco, Colombia se distingue por su sorprendente variedad de ecosistemas y sus altos índices de especies vivas, que lo sitúan estadísticamente en los primeros lugares en riqueza biológica mundial.

Los expertos calculan que Colombia alberga cerca del 10% de toda la biodiversidad animal y vegetal del mundo, a la vez que representa menos del 1% del área del planeta. Esto sucede porque coexisten milagrosamente en su territorio una multiplicidad de ecosistemas, muy diferentes el uno del otro, que le permiten a nuestro país ocupar el primer lugar en el mundo en aves, anfibios y reptiles (entre los cuales destacan, entre otras, las especies de ranas, tortugas y cocodrilos), y poseer una incalculable riqueza en mamíferos (fundamentalmente primates, murciélagos y carnívoros), en especies de peces marinos y de agua dulce, en insectos (de los que cabe mencionar las variedades de mariposas), en plantas (principalmente las que dan flores, y de éstas las especies de orquídeas, misteriosas y únicas). Desde luego, esta circunstancia no es gratuita. Aunque en plena zona tórrida, Colombia posee una rica variedad de pisos térmicos, por lo cual a lo largo y ancho de sus cinco regiones naturales (Andes, Caribe, Pacífico, Orinoquía y Amazonía), a través de un mosaico de altas montañas y extensas llanuras surcadas por caudalosos ríos como el Magdalena y el

Ever since naturalists such as José Celestino Mutis and Baron von Humboldt discovered it during their explorations on foot and on the back of a mule, it cannot be denied that Colombia is a country of contrasts. Located in the northern corner of South America, within the American torrid zone and at the end of the solid massif of the Andes Mountain Range where it is divided into three, north of the Equator, with large stretches of coast in the Caribbean, currently marked by a traditional flavor, and the Pacific, considered by many to be the ocean of the 21st century, with islands in both seas, and to the east and south, with jungles that converge in the basin of the Amazon and Orinoco Rivers, Colombia stands out for its impressive variety of ecosystems and its high indexes of live species, statistically occupying the first positions in the rankings of global biodiversity.

Experts calculate that Colombia is home to approximately 10% of the entire animal and plant biodiversity in the world, while representing less than 1% of the total area of the planet. This happens because a multiplicity of ecosystems, very different from each other, miraculously coexist in its territory, which allows our country to occupy the first place in bird, amphibian and reptile biodiversity (among which we must highlight frogs, turtles and crocodiles), and to possess an incalculable wealth of mammal species (mainly primates, bats and carnivores), marine and freshwater fish species, insects (including a broad variety of butterflies) and plants (mainly flowering plants, and in this category, the mysterious and unique species of orchids). These circumstances are supported by Colombia's rich variety of thermal levels despite its location within the torrid zone, due to which, across the length and breadth of its five natural regions (Andean, Caribbean, Pacific, Orinoquía and the Amazon), through a mosaic of great mountains and extensive plains crossed by mighty rivers such as the Magdalena and the Cauca, the Colombian territory is one

Cauca, el territorio colombiano permite disfrutar de una gama de paisajes que van desde aquél en el que crecen el plátano y la palma de coco hasta ese otro de los páramos andinos, donde impera el frailejón; desde las selvas del Darién, en el norte chocoano una de las zonas más lluviosas del mundo, hasta desiertos como el de la Tatacoa, en el departamento del Huila; desde cumbres glaciales como la Sierra Nevada de Santa Marta hasta planicies ardientes como los Llanos Orientales; en suma, desde los paisajes idílicos descritos por Isaacs en su novela María hasta los turbulentos en que transcurre la acción de La vorágine, de J. E. Rivera.

El actual territorio colombiano fue forzosamente zona de paso de los primeros pobladores de Suramérica. Aquellos que no siguieron su rumbo nómada hacia el sur del continente dieron origen a las culturas que habitaron el país antes de la llegada de los europeos a América, como fueron los muiscas, quimbayas, taironas, tumacos, zenúes y calimas, entre otros. De la riqueza arqueológica conservada de los pueblos precolombinos destaca el arte escultórico de San Agustín (en Huila), los hipogeos de Tierradentro (en Cauca), los antiguos poblados taironas en la Sierra Nevada de Santa Marta, y la multifacética orfebrería de distintas procedencias reunida hoy por el Museo del Oro.

Pero si en el período precolombino ya se daba todo un crisol de pueblos autóctonos, éste se diversifica aun más con la llegada de los conquistadores, que en su propósito de ganar para la Corona española las tierras del Nuevo Mundo fundaron villas y poblados a la manera de las que entonces existían en sus lugares de procedencia, como Andalucía, Extremadura, La Mancha o Valencia. Éste es sin duda el más importante legado que España dejó a los que por varios siglos fueron sus dominios en América: su arquitectura y urbanismo, que en Colombia dio frutos excelsos en las edificaciones coloniales de Santa Cruz de Mompox, Santafé de Bogotá, Popayán, Tunja, Cartagena de Indias, Villa de Leyva y Zipaquirá. Debido a esta huella imborrable dejada por la Corona española, Colombia es hoy en buena parte un país de ciudades, ubicadas mayoritariamente exceptuando las que sirvieron de puertos, como Santa Marta y Cartagena en los tres ramales montañosos de los Andes, por lo que, en lo relativo a su geografía humana y a la distribución de sus habitantes, puede también considerarse un país vertical.

to be enjoyed of a range of landscapes that go from that one in which they grow From the banana trees and the coconut palm trees to the other of the Andean moors, where the frailejón is king; from the jungles of Darién, in the northern part of Chocó, one of the rainiest areas of the world, to deserts such as La Tatacoa, located in the province of Huila; from snowy peaks such as Sierra Nevada de Santa Marta, to the scorching plains of los Llanos Orientales; in short, from the idyllic landscapes described by Jorge Isaacs in his novel, María, to the turbulent sceneries where the action takes place in La Vorágine, by J.E. Rivera.

Colombia's current territory was the mandatory zone of transit of the earliest settlers of South America. Those who refused to follow the nomadic path towards the south of the continent gave rise to the civilizations that lived in the country prior to the arrival of the Europeans to America, such as the Muisca, Quimbaya, Tayrona, Tumaco, Zenú, and Calima cultures, among others. Among the archeological treasures of the Pre-Columbian people that still remain, the sculptural art of San Agustín (Huila), the hypogea of Tierradentro (Cauca), the ancient Tayrona villages at Sierra Nevada de Santa Marta, and the multifaceted goldsmithing of different origins kept at the Gold Museum are all fine examples.

However, if we already had a whole melting pot of native peoples, it diversified even more with the arrival of the conquerors, who founded villas and villages in the fashion of the ones existing in their places of origin, such as Andalusia, Extremadura, La Mancha or Valencia, with the purpose of seizing the lands of the New World for the Spanish Crown. This is, without a doubt, the most important legacy that Spain left to the place that constituted its dominions for several centuries: its architecture and urbanism, with sublime examples in Colombia such as the colonial buildings of Santa Cruz de Mompox, Santafé de Bogotá, Popayán, Tunja, Cartagena de Indias, Villa de Leyva and Zipaquirá. Thanks to this indelible mark left by the Spanish Crown, Colombia is presently, for the most part, a country of cities, which are mainly located, except for those that served as ports such as Santa Marta and Cartagena, in the three mountainous branches of the Andes. Due to the foregoing, with respect to its human geography and the distribution of its inhabitants, Colombia can be considered as a vertical country.

Nuestras ciudades más antiguas están cerca de cumplir el medio milenio de existencia, y ya ha corrido mucha agua por los caudalosos ríos de Colombia desde los tiempos en que todo era importado, hasta el día de hoy, cuando sus grandes ciudades son el epicentro de pujantes industrias con tecnología de punta, desde donde se maneja también la comercialización de los productos más representativos que Colombia le ofrece al mundo, como son, por ejemplo –sin mencionar a muchos otros, el carbón, el petróleo, el café, la caña de azúcar, el arroz y la ganadería.

Pero la modernización que encarnan las urbes de Colombia no desdice de su diversidad cultural, que no es inferior a la biológica. En el país existen actualmente más de 80 etnias, muchas de ellas habitantes de áreas a su vez reconocidas por su rica biodiversidad y establecidas oficialmente como parques naturales y arqueológicos con miras a la conservación del legado natural y cultural que contienen. El área de los Parques Nacionales Naturales –entre los cuales cabría mencionar a manera ilustrativa el de Katíos (en el Chocó) y el de Amacayacu (en el Amazonas) conforma el 8,5% de la totalidad del territorio colombiano, y son un refugio para la defensa de todas las manifestaciones de vida que albergan en su interior, desde los arrecifes coralinos y manglares, tan vulnerables y a la vez tan indispensables para el equilibrio biológico de los ecosistemas costeros y marinos, hasta las impenetrables selvas húmedas inundables todavía llenas de secretos, los vastos bosques tropicales que liberan oxígeno para la atmósfera y la sorprendente pero también frágil riqueza hídrica que proveen ríos como el Amazonas, el Orinoco y el Magdalena.

En síntesis, la riqueza y variedad de la flora, fauna y cultura de Colombia constituye un inapreciable patrimonio natural, histórico y cultural, no sólo para sus pobladores, sino para el mundo, y se halla en peligro, a pesar de los esfuerzos por su preservación, sin duda loables pero a la vez insuficientes, por parte de las entidades estatales. La obra que el lector tiene en sus manos es fruto de una iniciativa privada que busca sensibilizarlo dándole a conocer el tesoro que lo rodea, como incentivo para que él contribuya a preservarlo mejor.

Our oldest cities are almost 500 years old, and much water, from the mighty rivers of Colombia, has passed under the bridge since the time when everything was imported until today, when Colombia's great cities are the epicenter of booming industries with high-end technologies that also manage the marketing of Colombia's most representative products, such as, for example, without mentioning many others, coal, oil, coffee, sugar cane, rice and livestock.

However, the modernization embodied by Colombian metropolises does not undermine its cultural diversity, which is at least at the same level than its biological one. There are more than 80 ethnicities in the country, many of which live in areas that have been recognized by their rich biodiversity and have been officially established as natural and archeological parks with the purpose of preserving the natural and cultural legacy they contain. The area of Colombia's national parks, among which we have Katíos (Chocó) and Amacayacu (in the Amazon), makes up 8.5% of the entire Colombian territory and is a refuge for the defense of the manifestations of life they harbor inside, from the coral reefs and mangrove swamps, so vulnerable yet indispensible for the biological balance of the coastal and marine ecosystems, to the impenetrable floodable rainforests that are still full of secrets, the vast tropical forests that release oxygen into the atmosphere and the amazing yet fragile water resources provided by rivers such as the Amazon, the Orinoco and the Magdalena.

In short, the wealth and variety of the flora, fauna and culture of Colombia constitutes an invaluable natural, historical and cultural heritage, not only for its inhabitants but also for the world. Unfortunately, it is in danger despite the preservation efforts undertaken by state authorities, which are certainly laudable but insufficient at the same time. This book that the reader has in his or her hands is the result of a private initiative that seeks to bring awareness to the problem by helping him or her discover the surrounding treasures, as an incentive to better preserve them.

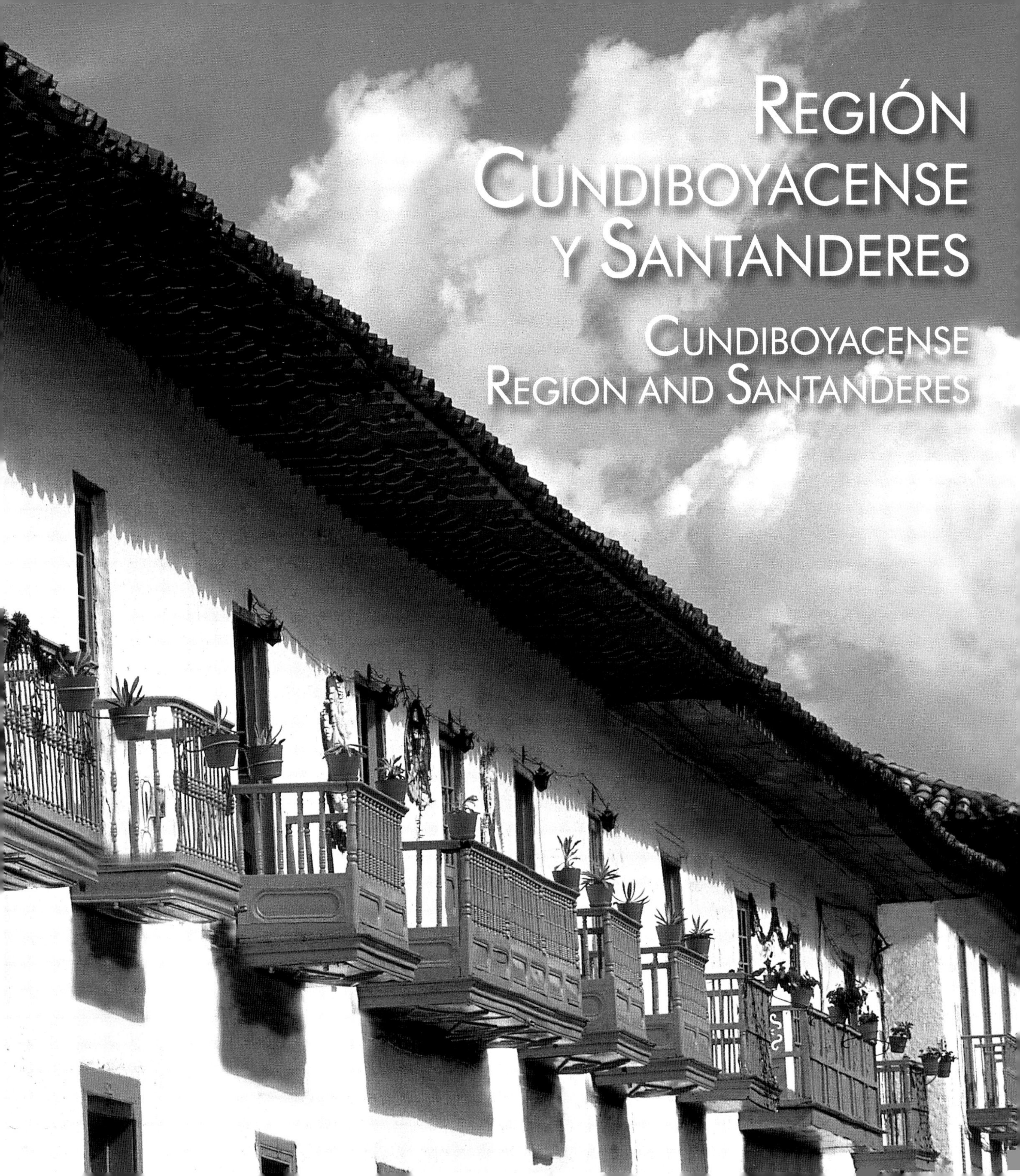

Región Cundiboyacense y Santanderes

Cundiboyacense Region and Santanderes

Pág. anterior. Fachada de casona colonial con teja de ladrillo. Casonas como ésta se encuentran en otras regiones del país, como la del Gran Santander.

El Palacio Liévano, donde tiene su sede la Alcaldía Mayor, ocupa la fachada occidental de la Plaza de Bolívar, donde antes fueran las galerías de Arrubla, destruidas por el incendio de 1900. Su construcción fue ordenada en 1902 a Gastón Lelarge.

Previous page. Façade of a colonial villa with brick tiles. Villas like this are found in other regions of the country, such as the Gran Santander region.

The Palace of Liévano, the headquarters of the Mayor's Office of Bogotá, occupies the western façade of Bolívar Square, where the Arrubla galleries, destroyed by a fire in 1900, used to be. Gastón Lelarge was commissioned with the construction in 1902.

La cordillera de los Andes, la más extensa de América y una de las más importantes del planeta, ingresa a Colombia por el sur, en el departamento de Nariño, y se divide en tres ramales que abrazan el territorio nacional creando subregiones con diferentes paisajes, ecosistemas y culturas.

El Altiplano Cundiboyacense, localizado en la cordillera Oriental, constituye un conjunto de planicies de clima frío que coincide con los departamentos de Cundinamarca y Boyacá. Consta de tres regiones claramente identificables: la sabana de Bogotá al sur, los valles de Chiquinquirá y Ubaté hacia el centro, y los de Duitama y Sogamoso al norte, con ciudades que son indiscutibles polos del desarrollo nacional.

Hasta la llegada de los conquistadores españoles, el altiplano era la tierra del pueblo muisca, de la familia lingüística chibcha, gente pacífica y laboriosa que opuso escasa o ninguna resistencia al invasor europeo. Tierra pródiga en maíz, lo era también en oro y esmeraldas, lo que determinó su saqueo sistemático por parte de los recién llegados. En la sabana de Bogotá, en 1538, se dio el histórico encuentro entre Gonzalo Jiménez de Quesada, Sebastián de Belalcázar y Nicolás de Federmann en vecindades de la capital muisca, Bacatá, tras la fundación hispánica de Santafé de Bogotá. Las batallas determinantes de la Independencia también se libraron en el altiplano: la del Pantano de Vargas (25 de julio de 1819), en cercanías de la ciudad de Paipa, y la de Boyacá (7 de agosto del mismo año), en inmediaciones de Tunja, donde Simón Bolívar venció a las tropas realistas y frenó la reconquista española. Siguiendo hacia el norte, en los límites con Venezuela, los Santanderes se asientan en el norte de la cordillera Oriental y el valle del Magdalena. Deben su nombre al general Francisco de Paula Santander. Sus pueblos indígenas nativos, guanes, cúcutas, mosquitos y chitareros, entre otros, se mezclaron con los españoles, y en el siglo XIX con inmigrantes alemanes e italianos. Las ciudades más importantes de la región son Bucaramanga, Barrancabermeja, Pamplona, Ocaña y Cúcuta.

The Andes Mountain Range, the largest in America and one of the most important in the world, enters Colombia from the south, in the province of Nariño, and then splits into three branches that embrace the national territory, creating sub-regions with different landscapes, ecosystems and cultures.

The Altiplano Cundiboyacense (Cundiboyacense Plateau), located in the Eastern Mountain Range, constitutes a set of cold-weather plains within the provinces of Cundinamarca and Boyacá. It has three clearly identifiable regions: the Sabana de Bogotá, to the south, the valleys of Chiquinquirá and Ubaté, in the center, and the valleys of Duitama and Sogamoso to the north, with cities that are indisputable focal points of the country's development.

Until the arrival of the Spanish conquerors, the altiplano was the land of the Muisca culture, from the Chibcha family of languages, peaceful and hardworking people that made little to no resistance to the European invaders. A land rich in corn, as well as in gold and emeralds, brought about its systematic plundering by the newcomers. The Sabana was the setting of the historical meeting between Gonzalo Jiménez de Quesada, Sebastián de Belalcázar and Nicolás de Federmann in 1538 in the vicinity of the Muisca capital, Bacatá, after the Hispanic foundation of Santafé de Bogotá. Some of the most important battles of the Independence were also fought at the altiplano: the Battle of Pantano de Vargas (July 25, 1819), near the city of Paipa, and the Battle of Boyacá (August 7 of the same year), in the vicinity of Tunja, where Simón Bolívar defeated the royalist troops and stopped the Spanish Reconquista. Further north, at the border with Venezuela, the Santanderes are located in the northern part of the Eastern Mountain Range and the Valley of the Magdalena. They owe their name to the general Francisco de Paula Santander. Their native peoples, the Guanes, Cúcutas, Mosquitos and Chitareros, among others, intermarried with the Spanish, and in the 19th century, with German and Italian immigrants. The most important cities of the region are Bucaramanga, Barrancabermeja, Pamplona, Ocaña and Cúcuta.

Bogotá

Página Anterior. Bogotá nocturna, Centro Internacional.

La iglesia del Carmen, antiguo claustro y santuario nacional de Nuestra Señora del Carmen, fue también otrora el monasterio de San José, de las Carmelitas Descalzas, y es un ejemplo interesante de arquitectura ecléctica, inspirado en el estilo gótico y la decoración interior con mosaicos venecianos. La Iglesia de Lourdes, principal templo religioso del barrio Chapinero. En los últimos años, el barrio de La Candelaria ha retomado los colores vivos que ostentaban sus fachadas en tiempos de la Colonia.

Previous page. Bogotá nightlife, International Centre.

The Carmelite church, an old cloister and national sanctuary of Nuestra Señora del Carmen, was also the former monastery of San José of the Discalced Carmelites and is an interesting example of eclectic architecture, inspired by the Gothic style and interior decoration with Venetian mosaics. The Church of Lourdes, the main religious temple of the Chapinero neighborhood. In recent years, the La Candelaria neighborhood has gone back to the bold colors of its façades during colonial times.

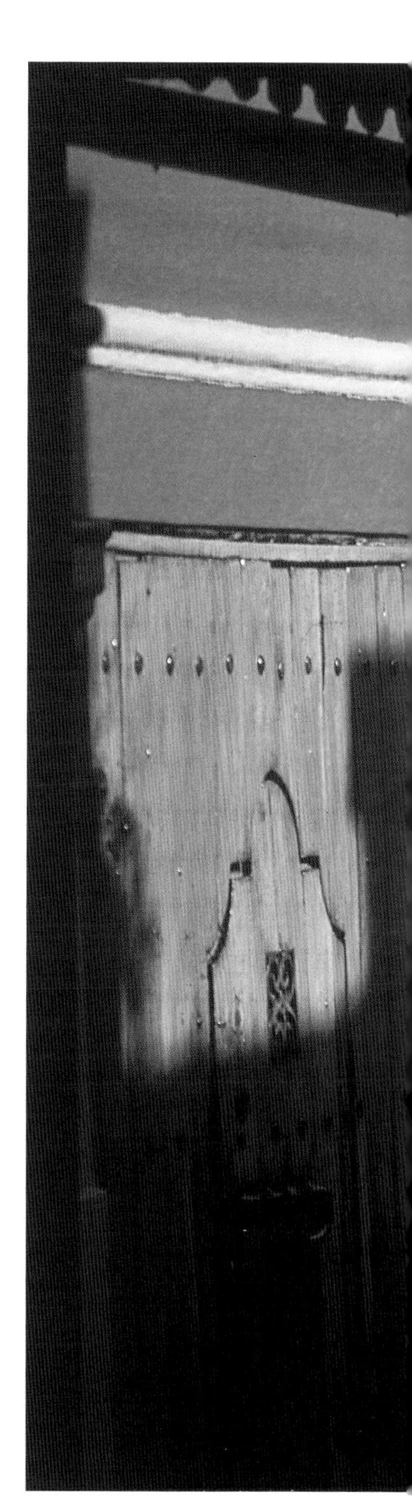

MUSEO NACIO

La actual edificación de la Catedral Primada es la cuarta que se ha construido. Se dice que las primeras piedras de este templo, el más importante del país, fueron puestas el mismo día de la fundación de Bogotá, el 6 de agosto de 1538. Cuenta con un altar mayor y 10 capillas en las naves laterales. En una de ellas yacen los restos de Gonzalo Jiménez de Quesada.

La iglesia de Nuestra Señora de los Ángeles, La Porciúncula, de estilo neogótico, fue concluida hacia 1930. Destacan sus puntiagudas torres laterales, el rosetón, los ornamentos en los muros, los arcos ojivales de los portones y los enormes vitrales de su interior, con imágenes de santos franciscanos. La iglesia de San Ignacio, joya de la arquitectura colonial de Bogotá, es, como la describió el entonces provincial Sebastián Hazañero en 1643, año en que fue concluida, "uno de los mejores templos que las Indias tienen".

The current building of the Primada Cathedral is the fourth that has been built. It is said that the first stones of this temple, the most important in the country, were placed the same day of the foundation of Bogotá, August 6, 1538. It has a high altar and ten chapels in the lateral naves. The mortal remains of Gonzalo Jiménez de Quesada rest in one of these chapels.

The Church of Nuestra Señora de los Ángeles, La Porciúncula, in the neo-gothic style, was completed in 1930. Its pointed lateral towers, the rose window, the ornaments of the walls, the arches of the gates and the huge stained glass inside, with images of Franciscan Saints, all stand out. The Church of San Ignacio, a jewel of Bogotá's colonial architecture, is "one of the best temples of the Indies", as described by the then provincial Sebastián Hazañero in 1643, the year of its completion.

Hacia 1930 se estableció el barrio La Merced, de estilo inglés, que se conserva, así como gran descendencia de la arquitectura europea. Coexisten dentro de la ciudad varios conglomerados urbanísticos de disímiles propuestas y tendencias, tales como el de Rosales, situado entre las calles 72 y la 85, una zona residencial de importante prestigio, así como El Nogal o El Retiro, ya que en ellos habitan líderes políticos y económicos del país, así como delegaciones diplomáticas. Entre muchos otros, están la Ciudadela Colsubsidio o la del Tintal, engranajes que suplen todas las necesidades de sus habitantes.

El sistema de transporte masivo, Transmilenio es un magno proyecto que abraza toda la red vial de la ciudad. Opera en un desplazamiento rápido conectando todos los puntos cardinales de la capital. Atrás, el monumento de Banderas, construido en 1948.

La Biblioteca El Tintal, una de las tres construidas por el arquitecto Salmona, fallecido recientemente, es una de las tres que impulsaron el proyecto de la red de bibliotecas del Distrito, conocido en varios lugares del mundo por considerarse un modelo facilitador de lectura.

The La Merced neighborhood was established around 1930, following the English style, which still stands today, as well as the many descendants of European architecture. Several urban conglomerates of distinct proposals and trends coexist within the city, such as Rosales, located between Calle 72 and 85, a very prestigious residential area, as well as El Nogal or El Retiro, the place that many political and economic leaders, as well as many diplomatic delegations, call home. Among many others, we have Ciudadela Colsubsidio or El Tintal, the gears that satisfy the needs of their inhabitants. The mass transportation system, Transmilenio, is a mega project that embraces the entirety of the city's road network. It operates by connecting all of the city's cardinal points as fast as possible. Behind, the Banderas monument, built in 1948.

El Tintal Library, one of the three built by Rogelio Salmona, recently deceased, is one of the three that promoted the District's library network project, known in many countries in the world as a model to encourage reading.

El Centro Internacional de Bogotá enmarca la Plaza de Toros de Santamaría. La vista se obtiene desde las Torres del Parque, encumbrado proyecto arquitectónico residencial diseñado por el arquitecto Rogelio Salmona, quien diseñó también la Biblioteca Virgilio Barco.

A la armonía de su concepción se suma el invaluable servicio que le presta a los 4.000 visitantes diarios en sus ocho salas: de lectura, de referencia, de información especializada, de trabajo, de música, hemeroteca y un auditorio para 500 personas, rodeado de espejos de agua.

El actual edificio del Museo Nacional de Colombia fue por mucho tiempo, desde épocas del Virreinato, una cárcel o panóptico, que contaba con 104 celdas. Por ello lo caracteriza una arquitectura de fortaleza, edificada con piedra y ladrillo. Hoy cuenta con una colección de más de veinte mil piezas.

Bogotá's International Center frames La Santamaría Bullring. The view is from Torres del Parque, one of Rogelio Salmona's most praised residential projects, who also designed the Virgilio Barco Library.

The harmony of its conception is added to the invaluable service it provides to its 4,000 daily visitors in its eight rooms: the reading room, the reference room, the specialized information room, the working room, the music room, the newspaper library and an auditorium for 500 people, surrounded by clear water ponds.

The current building of the National Museum of Colombia was a prison or a panopticon with 104 cells for quite some time since the Viceroyalty, which is why it was built as a fortress with stone and brick. It currently houses a collection of more than 20,000 pieces.

eucol
Semana

En todos los sectores de la ciudad se levantan importantes ejes comerciales, zonas de gastronomía internacional, plazoletas de exposición artística, parques para el recreo infantil o el esparcimiento de adultos.
Bogotá ha cobrado, a razón de las últimas administraciones, un enorme desarrollo urbanístico en el que los espacios dedicados a la vida placentera son protagónicos. Los clubes en los que se practican y compiten toda clase de deportes tienen gran incidencia en la formación de los jóvenes. Por su parte, han sido construidas ciclorrutas que demarcan todo el mapa de la ciudad, para bien de miles de personas que se desplazan diariamente en bicicletas.

There are important commercial areas, international restaurants, squares used for art exhibits and parks for children and adults all over town.
Bogotá has embarked on a journey of significant urban development thanks to its last few governments, where the spaces for leisure have become the heroes. The clubs where all kinds of sports are practiced and competed have a very important influence on the education of young people. On the other hand, the city has built bicycle lanes delimiting its entire geography to the benefit of thousands of people who commute on bicycles.

Este gran pulmón de Bogotá ocupa un terreno de cerca de 113 hectáreas de espacios verdes y recreativos, que incluyen un lago con isla dotado con modernos botes de pedal y remo importados, senderos peatonales y ciclorrutas que lo atraviesan, una plaza para conciertos y eventos populares. Poco a poco, gracias a la programación permanente de actividades culturales y lúdicas como los festivales de verano y Navidad y las lunadas sus escenarios se han convertido en eje de la recreación y el deporte en Bogotá.

Bogotá´s greatest lung covers an area of about 113 hectares of green spaces and leisure areas, including a lake with an island provided with imported modern pedal and paddleboats, pedestrian paths and bicycle lanes, a space for concerts and popular events. Little by little, thanks to the permanent scheduling of cultural and recreational activities such as the Summer and Christmas Festivals and the Lunada, its scenarios have become the central point of recreation and sports in Bogotá.

Bogotá es la sede del poder y de la administración pública, el lugar que concentra gran parte de los centros generadores de producción. Bogotá presenta actualmente un desarrollo urbanístico que alberga complejos financieros, ciudadelas residenciales, centros comerciales, grandes infraestructuras hoteleras y recorridos peatonales que cubren alternamente toda la red vial.

Bogotá is the headquarters of power and public administration and the meeting place of the majority of production centers. Bogotá is currently undergoing an urban development process comprised of financial hubs, residential complexes, shopping malls, large hotel facilities and pedestrian paths that alternately cover the entirety of the road network.

RESIDENCIAS
DAVIVIENDA

BOYACÁ

Pág. anterior. Una de las secciones monacales de Convento del Ecce Homo actualmente funciona como hotel, de muy buena atención, en el contexto austero de quienes prefi eren este tipo de turismo. El convento fue fundado por los dominicos como centro de evangelización y casa de reposo alejada de los núcleos urbanos, donde se pudieran recluir, con el mínimo de costos, los frailes de edad avanzada.

La arquitectura religiosa siguió los patrones establecidos por los españoles durante largos períodos. El trazado se hizo con los planos dibujados "a mano alzada" por los padres Prior Fr. Juan de Castro Rivadeneira y Esteban Santos, aunque diferentes maestros y arquitectos trabajaron a lo largo de los 45 años de su construcción. El claustro, como es común en los de la orden dominica, está formado por cuatro galerías que abarcan el cuadrilátero del patio.

La Plaza de Tunja, capital del departamento de Boyacá, no sólo evoca el prestigio de que gozaba la ciudad en tiempos de la Colonia, sino además las aventuras amorosas de doña Inés de Hinojosa, dama tunjana cuyas andanzas aún ruborizan a los historiadores.

Previous page. One of the monastic sections of the Ecce Homo Convent currently operates as a great hotel with excellent customer service, within the austere context of anyone who prefers this kind of tourism. The convent was founded by the Dominican Order as an evangelization center and nursing home away from the urban areas, where elderly friars could retire at a minimal cost.

The religious architecture followed the pattern established by the Spanish for longs periods of time. The layout was made with the blueprints "drawn freehand" by Prior Fr. Juan de Castro Rivadeneira and Esteban Santos; however, different masters and architects worked throughout the 45 years of its construction. The cloisters are formed by four galleries covering the square patio, which is the usual for the Dominican Order.

The main square of Tunja, the capital of the province of Boyacá, not only evokes the lost prestige of the city during the Colonial Times, but also the love affairs of Doña Inés de Hinojosa, a Tunjan dame whose exploits are still making historians blush.

Villa de Leyva, en el departamento de Boyacá, es un destino turístico de gran importancia para la región, no sólo por la conservación de su arquitectura colonial, sino además por la alta calidad de su producción artesanal, que recoge las propuestas creativas de artesanos procedentes de todos los rincones del país, que han establecido allí sus talleres.

El convento del Santo Ecce Homo resguarda valiosas obras de arte religioso colonial. El silencioso monasterio agustino de Ecce Homo, o Convento de la Candelaria, en cercanías de Villa de Leyva, fue fundado en 1597. Rodeado de huertos y jardines que florecen en medio de un desierto fósil.

Villa de Leyva, in the province of Boyacá, is a tourist destination of great importance for the region, not only due to the preservation of its colonial architecture, but also because of the great quality of its handicraft production, which includes the creative proposals of artisans from all corners of the country that have established their workshops over there.

The Santo Ecce Homo Convent keeps some of the most valuable works of colonial religious art. The silent Augustine Ecce Homo Monastery, or La Candelaria Convent, near Villa de Leyva, was founded in 1597, surrounded by orchards and gardens that blossom within a fossil desert.

Ráquira, municipio del departamento de Boyacá, es cuna de una de las mejores muestras de artesanía colombiana con productos como hamacas, tejidos de lana virgen y cerámicas para todas las funciones domésticas.

El pueblo presenta cierta particularidad establecida por su administración, que reside en la unidad cromática de sus casas pintadas con multiplicidad de colores. Es visitado por turistas nacionales e internacionales, a quienes les resulta interesante el sistema de producción de cerámicas, ya que en casi todas las casas de sus habitantes existe un horno de altas temperaturas para el barro.

Ráquira, a municipality of Boyacá, is the cradle of one of the best examples of Colombian handicrafts with products such as hammocks, virgin wool fabrics and pottery for all kinds of home uses.

The town has a certain particularity established by its government, which consists of the chromatic unity of its houses painted with a multiplicity of colors. Ráquira is visited by national and international tourists, who find the pottery production system fascinating, given that most houses keep a high-temperature over for the clay inside.

El comercio en Villa de Leyva se especializa en la oferta de buenas muestras de artesanía y de restaurantes de cocina internacional y criolla que ganan festivales internacionales. A la izquierda, las calles adoquinadas de Villa de Leyva recuerdan sus primeros tiempos, cuando fue fundada en 1572 como sede de la primera presidencia del Nuevo Reino de Granada. Villa de Leyva tiene la plaza empedrada más grande del país, y todas las calles que la circundan también lo son. El pueblo es uno de los destinos turísticos más visitados, razón que ha dado origen al desarrollo de una infraestructura hotelera equipada con todas las comodidades, en el marco de una arquitectura colonial.

Trade in Villa de Leyva specializes in the offer of great samples of handicrafts and restaurants specializing in international and local cuisine that have won international festivals. Left, the cobblestone streets of Villa de Leyva reminds us of its early days of its foundation in 1572 as the headquarters of the first presidency of the New Kingdom of Granada. Villa de Leyva has the largest cobblestone square in the country, and the streets that surround it are also made of cobblestone. The town is one of the most visited destinations, which has given rise to the development of hotel complexes with modern amenities within the framework of a colonial architecture.

GALERIA

La antigua estación del Ferrocarril de Chiquinquirá es hoy Monumento Nacional, y desde hace unos años es la sede del Palacio de la Cultura. Obra iniciada en 1926 por el arquitecto Joseph Martens, consiste en un solo gran cuerpo rematado por un techo único en manzarda y tres grandes puertas del mismo tamaño. Una marquesina de hierro destaca la entrada principal sobre las laterales La casa del escribano real don Juan de Vargas, que data de 1588, es entre las casas coloniales ilustres que se conservan de la antigua ciudad de Tunja, la de mayor valor pictórico y arquitectónico. Los techos de su gran sala central están cubiertos por frescos con animales, figuras mitológicas, alegorías, etc., representados en un estilo muy influido, entre otros, por artistas como Durero.

The old Chiquinquirá Railway Station became a National Monument and it currently houses the Palace of Culture. The construction of the station began in 1926 under the direction of Joseph Martens, and it consists of a single frame topped by a mansard roof and three large doors of the same size. An iron marquee sets the main entrance apart from the lateral entrances. The house of royal scribe Don Juan de Vargas, which dates back to 1588, is one of the several renowned colonial houses from the old city of Tunja that still stand, and the one with the most pictorial and architectural value. The ceilings of its great central living room are covered by frescoes depicting animals, mythological figures, allegories, etc., in a style heavily influenced by artists such as Durer.

Aunque en Colombia la afición por los deportes extremos es aún reciente, hoy se pueden practicar en distintos lugares del país algunos de ellos, como el canotaje, descenso por cauces de agua en una lancha neumática; el parapente, al rededor del cual se celebra cada año un encuentro nacional en Roldanillo, en el Valle del Cauca; el rappel, practicado en Suesca, Cundinamarca y en el Parque Nacional Los Nevados; el paintball, consistente en disparar balas con tintas de colores; y el buceo, practicado en los Parques Nacionales Tairona y Corales del Rosario, en la costa Caribe y en la isla Gorgoña, en el Pacífico.

Even though the passion for extreme sports in Colombia is still quite recent, some of them can currently be practiced in different places in the country, such as rafting, the descent through a river in an inflatable boat; paragliding, for which there is an annual meeting at Roldanillo, in Valle del Cauca; rappel, practiced in Suesca, Cundinamarca, and at the Los Nevados National Park; paintball, consisting in shooting tinted bullets; and diving, practiced at the Tayrona and Corales del Rosario National Parks, in the Caribbean coast, and at Gorgona Island, in the Pacific.

El cultivo de la cebolla de rama en Colombia se practica principalmente en el municipio de Aquitania, en el departamento de Boyacá.

Visitar dicha población es como entrar en una dimensión fantástica porque la cebolla reviste todos los antejardines de las casas, todos los terrenos de cultivo y cuanto espacio se preste para la siembra de este producto alimentario. Éste es uno de los principales cultivos de exportación que se dan en toda la región, junto con el de papa, cebada, maíz y habas, entre otros.

The municipality of Aquitania, in the province of Boyacá, is the main producer of green onion in Colombia.

Visiting said population is like entering into a fantastic dimension, where the onion covers the porches of the houses, the fields and any other space provided for the planting of this product. This is one of the main export crops from the region, together with potato, barley, corn and fava beans, among others.

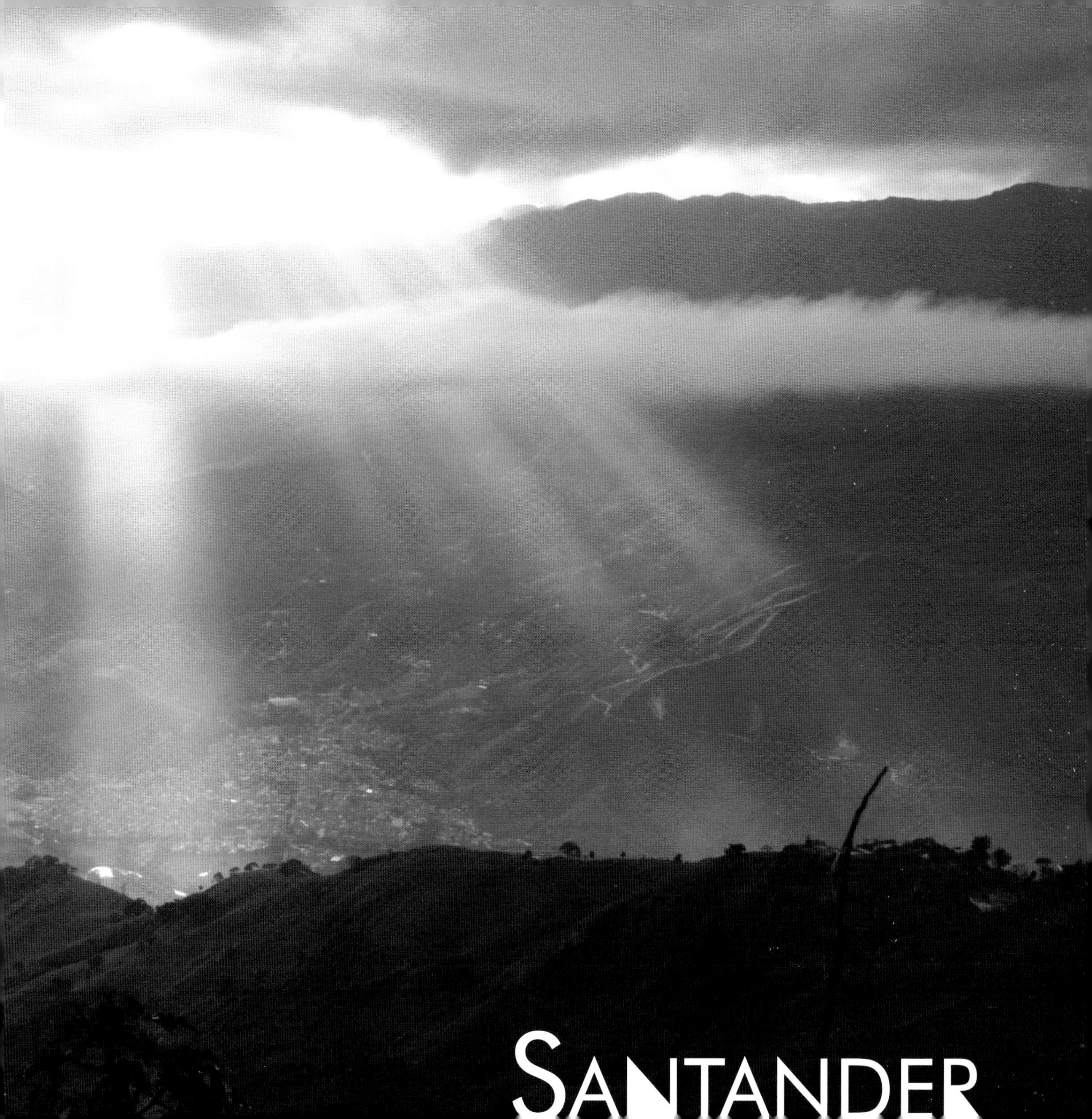

SANTANDER

Barichara es Monumento Nacional, gracias a sus calles enlosadas con piedra de labor y la discreta elegancia de su arquitectura colonial de estilo andaluz. Famoso por sus talladores de piedra, allí se yergue un templo en honor a la Virgen de la Roca. Entre sus atractivos turísticos están el Salto del Mico y la cueva de Macaregua, donde pueden apreciarse sus antiguas estalactitas y estalagmitas. El municipio de Guane, a pocos minutos de Barichara, es un destino de absoluta tranquilidad, en el que los hoteles resultan todo un placer buquet colonial, cimentados en enormes casonas de vieja data.

Barichara was declared a National Monument thanks to its streets paved with hand carved stone and the discreet elegance of its Andalusian-style colonial architecture. It is famous for its stone carvers and for the temple in the honor of the Virgin of the Rock. Barichara's tourist attractions include Salto del Mico and the Macaregua Cave, with its stalactites and stalagmites of old. The municipality of Guane, a few minutes away from Barichara, is a destination to relax, where the hotels are a colonial pleasure housed in huge old mansions.

Pág. anterior. Panorámica de Bucaramanga y Parque Santander. Club del Comercio en Bucaramanga, capital de Santander. El 28 de diciembre se celebra en el municipio de Girón, una joya colonial enclavada en la agreste geografía santandereana, el día de San Benito de Palermo, un fraile negro en cuya memoria los habitantes de Girón se pintan de carbón el rostro y entran de rodillas al templo para pagar las promesas por los favores recibidos, acto que acompañan con una tradicional quema de pólvora. La presencia de textiles en contextos arqueológicos es muy escasa.

Previous page. Panoramic view of Bucaramanga and the Santander Park. Club del Comercio of Bucaramanga, capital of Santander. December 28 is the day of San Benito de Palermo, a black friar in whose memory the citizens of Girón, a colonial jewel nestled in the wild geography of Santander, paint their faces with coal and enter the temple to pay the promises for the favors received on their knees, accompanied by the traditional fireworks. The presence of textiles in archeological contexts is very scarce.

En Colombia habita una inmensa diversidad de mariposas, aunque cada región cuenta con especies particulares. En esta página, la Morphonia azul. Esta especie de hongo, de gran belleza pero de alta toxicidad, emerge en los bosques de coníferas de clima frío.

Los estoraques son intrincadas formaciones rocosas creadas por la acción del agua, el viento y el sol en medio de un entorno semidesértico con vegetación arbustiva, a unos 10 km del municipio de Ocaña, en el departamento de Norte de Santander.

There is an immense diversity of butterflies in Colombia, although there are particular species in each region. On this page, the Blue Morpho. This species of fungus, beautiful yet highly toxic, grows in the cold coniferous forests.

Estoraques are intricate rocky formations created by the force of water, wind and the sun in the middle of a semi-desert environment with shrub-like vegetation, about 10 km away from the municipality of Ocaña, in the province of Norte de Santander.

Por su imponente belleza, el Cañón de Chicamocha, ubicado entre los municipios santandereanos de Aratoca y Piedecuesta, es uno de los mayores atractivos del departamento de Santander, dejando en los visitantes una viva sensación de la magnificencia de la naturaleza. Dado su carácter desértico, el Cañón cuenta con la presencia de cactus; en él también habitan serpientes, lagartos y zorros. La ruta al gran cañón tiene un efecto paradisíaco al que no se sustraen cientos de familias que se detienen en acantilados del río a pasar tardes de 'fiambre' al aire libre.

Due to its stunning beauty, the Chicamocha Canyon, located between the municipalities of Aratoca and Piedecuesta in Santander, is one of the most important attractions of the province, providing visitors with a very vivid feeling of the magnificence of nature. Thanks to its desert-like nature, the Canyon is filled with cactuses, as well as snakes, lizards and foxes. The route to the grand canyon has a heavenly effect that is not ignored by the hundreds of families who stop at the river cliffs to spend the afternoon on an picnic.

ALTO MAGDALENA

Pág. anterior. El más imponente y visitado de los volcanes situados en el Parque Nacional Natural Los Nevados es el Nevado del Ruiz, que se eleva hasta los 5.321 msnm abarcando unos 200 km2, y posee dos cráteres: La Olleta (4.800 m) y el Alto de la Piraña al nordeste.

El Parque de San Agustín, ubicado en el Macizo Colombiano a una altura de 1.730 msnm, en el sur del departamento del Huila, es uno de los más importantes lugares arqueológicos del país. En tiempos precolombinos, era un centro ceremonial donde los miembros de una civilización nativa enterraban a sus muertos. Como vestigios arqueológicos quedan algunos centenares de estatuas de piedra, de gran tamaño.

Previous page. The most impressive and visited of the volcanoes of the Los Nevados National Park is Nevado del Ruiz, which rises to 5,321 meters above sea level, encompasses about 200 km2, and has two craters: La Olleta (4,800 m) and Alto de la Piraña to the northeast.

San Agustín Park, located in the Colombian Massif at an altitude of 1,730 meters above sea level to the south of the province of Huila, is one of the most important archeological sites in the country. In Pre-Columbian times, it used to be a ceremonial center where the members of a native civilization buried their dead. A few hundreds of large stone statues still remain.

El río Magdalena nace en los páramos del Macizo Colombiano, en los límites entre los departamentos del Cauca y Huila, y discurre en sentido norte por las estribaciones de las cordilleras Central y Oriental, donde se extiende el fértil valle que lleva su nombre. Su descubrimiento se atribuye al conquistador Rodrigo de Bastidas, fundador de Santa Marta, en el año de 1501. Fue, desde tiempos precolombinosy gracias a su posición geográfica, ruta de incursión hacia el interior de la actual Colombia y hacia el Ecuador.

La región del Alto Magdalena comprende los partamentos del Cauca, Huila y Tolima, donde el relieve presenta los más dramáticos contrastes, como la umbres nevadas de los volcanes de la cordillera central (Puracé, Huila y Tolima), el desierto de La Tatacoa y el valle aluvial del río hacia el norte.

Al sur del departamento del Huila se encuentran los enigmáticos vestigios monolíticos de la cultura prehispánica de San Agustín, capital arqueológica de Colombia, que fue declarada en 1995 Patrimonio de la Humanidad por la Unesco y es orgullo de los huilenses. No muy lejos de allí, pero en territorio del Cauca, los hipogeos de Tierradentro sorprenden al viajero con sus nichos funerarios y pinturas policromas, en territorio del actual pueblo Paez.

El comercio, la industria, la agricultura y la ganadería constituyen las principales actividades económicas de los pueblos del Alto Magdalena. El río, por su parte, es navegable a partir de Honda, en el Tolima, y durante el mes de febrero proporciona sustento a los habitantes ribereños con la anual subienda de peces.

Los tolimenses son industriosos y creativos, y atesoran su patrimonio musical. En Ibagué, su capital, tradicionalmente llamada la Ciudad Musical de Colombia, se celebra cada año a finales de junio el Festival y Reinado Nacional del Folclor. Sones de bambucos, torbellinos, rajaleñas, guabinas y el emblemático bunde tolimense se toman entonces las calles en medio de bailes populares, mujeres bellas, comparsas y comida típica, en la que no pueden faltar la característica lechona, los insulsos y los tamales.

The Magdalena River is born in the moors of the Colombian Massif, on the border of the provinces of Cauca and Huila, and flows north through the spurs of the Central and Eastern Mountain Ranges, the location of the fertile valley that bears its name. The river was discovered by conquistador Rodrigo de Bastidas, the founder of Santa Marta, in 1501. Thanks to its geographical location, the Magdalena River has always been, since Pre-Columbian times, the entrance to the interior of current Colombia and to Ecuador.

The Alto Magdalena region comprises the provinces of Cauca, Huila and Tolima, where the relief presents the most dramatic of contrasts, such as the snowy peaks of the volcanoes of the Central Mountain Range (Puracé, Huila and Tolima), the La Tatacoa desert and the floodplains of the river up north.

The enigmatic monolithic remains of the Pre-Hispanic culture of San Agustín, the archeological capital of Colombia, are located in the southern region of the province of Huila, declared a World Heritage Site by Unesco in 1995 and the pride of the people of Huila. Not far from there, but in the territory of Cauca, the hypogea of Tierradentro are a surprising delight for travelers, with its burial niches and polychrome paintings, in the current lands of the Páez culture.

Trade, industry, agriculture and livestock raising are the main economic activities of the cities of the Alto Magdalena region. On the other hand, the river is navigable from Honda, in the province of Tolima, and during the month of February, it provides the coastal residents with their livelihood through the annual upstream migration of fish.

The people of Tolima are hardworking and creative and treasure their musical heritage. In Ibagué, the capital, traditionally called the Musical City of Colombia, the National Folklore Festival and Beauty Pageant are held every year at the end of June. The sounds of bambuco, torbellino, rajaleña, guabina and the emblematic bunde take the streets amidst folk dances, beautiful women, parades and local fare, such as the typical suckling pig, insulso and tamal.

Cactus característico del desierto de La Tatacoa –también conocido como Valle de las Tristezas–, en el departamento del Huila. El desierto posee una extensión de 330 km², y alcanza una temperatura diurna superior a los 40° C. El Parque Nacional Natural Los Nevados, ubicado en tierras de cuatro departamentos (Caldas, Risaralda, Quindío y Tolima) se extiende a lo largo de 58.300 hectáreas, con alturas que oscilan entre los 2.600 y los 5.300 msnm y climas frío, de páramo y de nieves perpetuas. Distintas rutas de acceso por los departamentos que comparten el Parque le permiten al visitante disfrutar de su belleza y riqueza de paisaje.

Typical cactus of the La Tatacoa desert – also known as the Valley of Sorrows – in the province of Huila. The desert has an area 330 km2 and reaches temperatures above 40 °C during the day. Los Nevados National Park, shared by four provinces (Caldas, Risaralda, Quindío and Tolima) extends over 58,300 hectares, with altitudes comprised between 2,600 and 5,300 meters above sea level and cold, moor, and perpetual snow climates. The different access routes through the provinces sharing the Park allow visitors to enjoy its beauty and the magnificent scenery.

Ibagué, la capital del departamento de Tolima, está construida sobre las faldas de la cordillera Central, a 1.285 msnm. Ha sido llamada la "Ciudad Musical de Colombia" por sus festivales y porque cuenta con uno de los más afamados conservatorios del país. La ciudad de Honda, Tolima, a orillas de los ríos Magdalena y Gualí, fue uno de los principales puertos de la Colonia. En su centro histórico se encuentran hermosas construcciones de los siglos XVII, XVIII, XIX. Izquierda. La Ermita, ubicada en Mariquita, población que fue elegida por José Celestino Mutis como sede de la Expedición Botánica.

Ibagué, the capital of the province of Tolima, is built on the slopes of the Central Mountain Rage, 1,285 meters above sea level. It has been called the "Musical City of Colombia" due to its festivals and one of the most famous conservatories in the country. The city of Honda, Tolima, at the banks of the Magdalena and Gualí Rivers, was one of the main ports in Colonial times. Beautiful constructions from the 17th, 18th and 19th centuries can be seen in its historical center. Left. La Ermita, located in Mariquita, the population selected by José Celestino Mutis as the headquarters of the Botanical Expedition.

Varias de las culturas aborígenes que tuvieron asiento en el actual territorio colombiano desaparecieron antes de la llegada de los españoles y dejaron huellas invaluables, como la cultura que se desarrolló en la región de San Agustín. Allí floreció una sociedad de grandes escultores líticos, talladores, alfareros y constructores de montículos y templetes funerarios. Los sitios arqueológicos se encuentran dispersos en 500 km2, entre San Agustín y San José de Isnos. La mayor colección de hipogeos está en el Parque Nacional Natural San Agustín, donde reside la célebre talla 'Fuente de Lavapatas', sitio ceremonial de notable diseño y manejo del agua. Otras muestras arqueológicas se hallan en el Museo Arqueológico (en la foto).

Several of the native cultures born in Colombia's current territory disappeared before the arrival of the Spanish and left invaluable traces, such as the culture that developed in the region of San Agustín, a society of great lithic sculptors, carvers, potters and builders of temples and burial mounds. The archeological sites are spread within an area of 500 m2 between San Agustín and San José de Isnos. The largest collection of hypogea is located in the San Agustín National Mark, the home of the famous "Lavapatas Fountain", a ceremonial site with a remarkable design and use of water resources. Other archeological samples can be found at the Museum of Archeology (in the photograph).

El caribe Colombiano

The Colombian Caribbean

Pág anterior. El gran desierto de La Guajira es el lugar que por siglos ha habitado la etnia indígena Wayúu. Sus pobladores lo consideran la madre de todos los seres, y como tal le piden consejos, y ayuda para cumplir sus deseos. Vista aérea de las Islas del Rosario, conocidas por sus aguas cristalinas y la importancia ecológica de sus formaciones de corales que favorecen la existencia de vida marina vegetal y animal con la que están simbióticamente integrados.

Previous page. The great desert of La Guajira has been the home of the Wayúu people for centuries. Its inhabitants consider it as the mother of all beings, and as such always ask for her advice and assistance to fulfill their wishes. Aerial view of the Rosario Islands, known for their crystalline waters and the environmental importance of their coral reefs that favor the existence of plant and animal marine life with which they are symbiotically integrated.

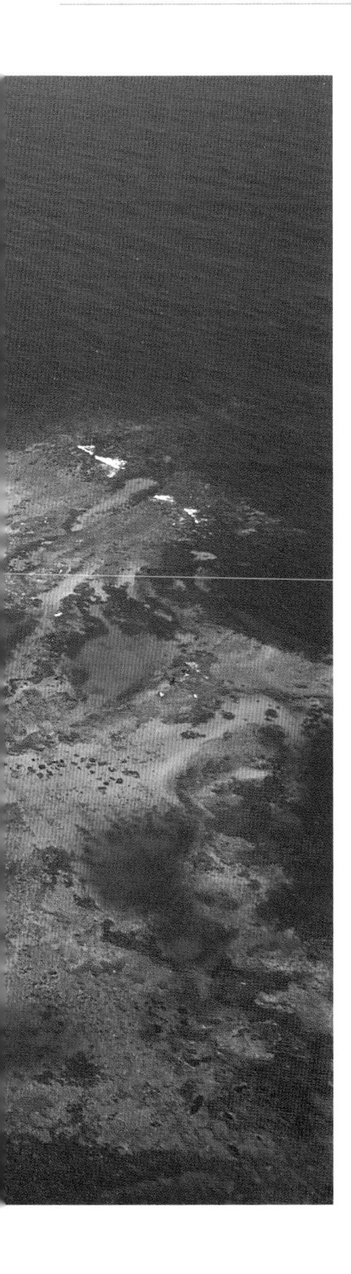

Bordeada por 1.600 kilómetros de costa atlántica y prolongada por territorios insulares, la región Caribe es, en su parte continental, una inmensa llanura al norte de los Andes, que termina en la Sierra Nevada de Santa Marta, para dar paso a la península de La Guajira. La región tiene un centro natural en el delta del río Magdalena, que vierte al mar sus aguas en Bocas de Ceniza, cerca a Barranquilla, y posee un litoral marcado por variados destinos turísticos, desde Capurganá, en el golfo de Urabá, al suroccidente, hasta el cabo de la Vela, junto al golfo de Venezuela.

Aunque predominantemente plana, la región Caribe se caracteriza por su variedad ecológica. Sus ecosistemas y paisajes abarcan desde el bosque seco de La Guajira hasta la selva húmeda de la región del golfo de Urabá. En la Colombia Caribe se encuentran las mayores alturas del territorio nacional: los picos Colón (5.780 msnm) y Bolívar (5.800 msnm), ubicados en la Sierra Nevada de Santa Marta, el mayor macizo litoral del planeta. La mayoría de la población se ubica en las principales ciudades: Santa Marta, Barranquilla y Cartagena. Se trata de una población mestiza, blanca e indígena en su mayoría, aunque en determinados lugares, como Palenque, predomina la raza negra. La cultura es sincrética, como en el resto del Caribe, pero con peculiaridades locales que la hacen extremadamente rica y diversa en sus manifestaciones musicales, literarias, plásticas y gastronómicas. Ésta es Macondo, tierra de cumbia y vallenato, de champeta y bullerengue, del Hombre Caimán y del Carnaval de Barranquilla. Es, también, una tierra heróica, que ha vivido momentos decisivos de nuestra historia como nación. El Caribe colombiano es destino obligado para conocer la historia y arquitectura de Cartagena de Indias, Patrimonio Cultural de la Humanidad, su vida nocturna y gastronomía; las playas del Parque Tayrona, consideradas entre las más bellas del mundo; el mar de siete colores del archipiélago de San Andrés y Providencia, uno de nuestros muchos paraísos del buceo, y enamorarse de sus artesanías, de sus paisajes y de su gente.

Delimited by 1,600 kilometers of Atlantic coast and extended by the island territories, the Caribbean region is, in its continental part, an immense plain north of the Andes that ends at the Sierra Nevada de Santa Marta to make way for the La Guajira peninsula. The region's natural center is the delta of the Magdalena River, which flows into the sea at Bocas de Ceniza, near Barranquilla, and has a littoral marked by several tourist destinations, from Capurganá, in the Gulf of Urabá, to Cape of La Vela, next to the Gulf of Venezuela.

Even though it is predominately flat, the Caribbean region is characterized for its ecological variety. Its ecosystems and landscapes include the dry forest of La Guajira and the rainforest of the region of the Gulf of Urabá. The greatest altitudes of the national territory are found in the Caribbean: the Colón (5,780 meters above sea level) and Bolívar (5,800 meters above sea level) Peaks, located at the Sierra Nevada de Santa Marta, the largest coastal mountain range of the planet. Most of the population lives in the main cities: Santa Marta, Barranquilla and Cartagena, and are mestizos, white and indigenous for the most part, although in certain places, such as Palenque, the majority of the population is black.

The culture is syncretic, just like in the rest of the Caribbean, but with certain local peculiarities that make it extremely rich and diverse in its musical, literary, artistic and gastronomic expressions. This is Macondo, the land of cumbia and vallenato, champeta and bullerengue, of the Cayman Man and the Carnival of Barranquilla. It is also a heroic land that has experienced decisive moments in our history as a nation. The Colombian Caribbean is a must-see for the history and architecture of Cartagena de Indias, a World Heritage Site, its nightlife and gastronomy; the beaches of the Tayrona Park, deemed to be one of the most beautiful in the world; the sea of seven colors of the archipelago of San Andrés y Providencia, one of our many diving paradises, and is a place to fall in love with its handicrafts, its landscapes and its people.

CARTAGENA

Pág. anterior. Durante los siglos de la Colonia, los españoles hicieron de Cartagena de Indias un puerto negrero cuyo mercado de esclavos abastecía todo el territorio del Virreinato. Sufrió constantes asedios de piratas y corsarios, lo que determinó su extraordinaria arquitectura militar de gruesas murallas, fuertes y baluartes. Uno de ellos es el Castillo de San Felipe de Barajas, considerado desde su edificación como guardián y protector de Cartagena. Su interior es una laberíntica trama de túneles, galerías, trampas, desniveles y de vías de escape.

Previous page. The Spanish turned Cartagena de Indias into a slave port in colonial times, which slave market supplied the entire territory of the Viceroyalty. It suffered the constant attack of pirates and corsairs, which determined its extraordinary military architecture consistent of thick walls, forts and bastions. One of them is the Castle of San Felipe de Barajas, the guardian and protector of Cartagena since its construction. Its interior is a labyrinthine layout of tunnels, galleries, traps, uneven floors and escape routes.

Pág. siguiente. El Centro de Convenciones, con más de 19.000 m2, recibe anualmente miles de visitantes de todos los rincones del mundo. Por su ubicación, infraestructura y servicios especializados, el Centro está posicionado como uno de los recintos de su clase más prestigiosos de América Latina. Está situado en cercanías del recinto amurallado y de la zona de Bocagrande, donde se encuentran la mayoría de los hoteles. El casco antiguo de la ciudad guarda una gran similitud con los pueblos tradicionales de Andalucía. Los balcones con celosías son característicos de las casas del centro histórico de Cartagena de Indias. En la fotografía central son custodiados por la tradicional Torre del Reloj, de estilo neogótico y uno de los símbolos arquitectónicos más representativos de Cartagena, además de enmarcar la puerta principal de entrada a la ciudad amurallada. Al interior de la puerta se encuentra la Plaza de los Coches, con la estatua de don Pedro de Heredia, fundador de la ciudad.

Next page. The Convention Center, with more than 19,000 m2, receives thousands of visitors from all corners of the earth every year. Due to its location, infrastructure and specialized services, the Center is positioned as one of the most prestigious compounds of its kind in Latin America, and is located near the walls and the area of Bocagrande, the site of most hotels. The city's old town is very similar to the traditional towns of Andalusia. The balconies with lattices are typical of the historical center of Cartagena de Indias. In the central photograph they are guarded by the traditional neo-gothic Watch Tower, one of the most representative architectural symbols of Cartagena and the frame of the main entrance into the walled city. Los Coches Square is located inside the gate, with the statue of Don Pedro de Heredia, the founder of the city.

El Centro de Convenciones de Cartagena.

The Convention Center of Cartagena.

La Plaza de Santa Teresa, como parte del Plan de Recuperación de Plazas de Cartagena, fue tema esencial. Actualmente está rodeada de cafés, restaurantes y sofisticados hoteles, lo que convoca al turista. La Plaza es uno de los lugares a los que arriban los tradicionales coches que recorren la ciudad paseando a los visitantes, niños y enamorados. El Museo Naval del Caribe es una de las instituciones que integran su marco arquitectónico.

Santa Teresa Square was an essential part of the Square Recovery Plan of Cartagena. It is currently surrounded by cafés, restaurants and sophisticated hotels, which has drawn the attention of tourists. The Square is one of the stops of the traditional carriages that tour the city showing visitors, children and couples around. The Caribbean Naval Museum is one of the institutions that form part of Cartagena's architectural framework.

Durante el reinado de Felipe II la Corona española rodeó a Cartagena de Indias con murallas, castillos y baluartes, para protegerla del asedio enemigo que buscaba sacar oro. El Fuerte de San Fernando, localizado en Bocachica, el Baluarte de Santa Catalina, en la ciudad amurallada, el Castillo de San Felipe de Barajas, la obra de arquitectura militar más grandiosa que los españoles construyeron en América, son algunas de las magnas edificaciones de la época. El interior de la ciudad amurallada preserva en viva actividad, construcciones de importante riqueza arquitectónica e histórica. Es la ciudad de la 'rica colonia', son construcciones de enorme valor para el Patrimonio de la Humanidad.

During the reign of Philip II, the Spanish Crown surrounded Cartagena de Indias with walls, castles and bastions to protect it from enemy sieges seeking gold. The Fort of San Fernando, located in Bocachica, the Bastion of Santa Catalina, in the walled city, and the Castle of San Felipe de Barajas, the greatest work of Spanish military architecture built in America, are some of the great buildings of the time. The interior of the walled city preserves constructions of significant architectural and historical importance in living activity. It is the city of the 'richest colony', and they are constructions of enormous value for the heritage of mankind.

El muelle de Los Pegasos, vistoso puerto situado en la bahía de las Ánimas, es el lugar de salida en lancha hacia el Parque Nacional Natural Corales del Rosario, el único parque submarino del país, con arrecifes poblados de una abundante fauna subacuática que incluye erizos, medusas, rayas y bancos de peces multicolores que juegan entre algas y corales. El Maestro Héctor Lombana elaboró los imponentes pegasos que adornan el tradicional muelle de Los Pegasos, donde en otros tiempos desembocaran los esclavos que venían del África.

The Los Pegasos dock, a colorful port on the Las Ánimas Bay, is the place of departure by boat to the Corales del Rosario National Park, the only underwater park in the country with reefs populated by abundant underwater wildlife including sea urchins, jellyfish, stingrays and schools of colorful fish playing among algae and corals. Master Héctor Lombana produced the stunning Pegasus adorning the traditional Los Pegasos dock, where the slaves coming from Africa once arrived in earlier times.

Los coches tirados por caballos constituyen una viva tradición de la ciudad de Cartagena de Indias. Nada más irresistible para el viajero que recorrer de noche la antigua ciudad amurallada en uno de ellos, mientras escucha los relatos del cochero. Abajo. Se aprecia una muestra hotelera de alto nivel.

The horse-drawn carriages are a living tradition of the city of Cartagena de Indias. There is nothing more irresistible for travelers than touring the old walled city at night in one of them while listening to the coachman's stories. Below. One of the city's high-quality hotels.

Los dulces de frutas son determinantes en la gastronomía de la ciudad; cada mes se dancita en el Festival del Dulce. La palenquera, con su tinaja de frutas sobre la cabeza, es un vistoso personaje de la costa Caribe, siempre presente en las playas de las cinco islas del Rosario, y en las de Bocagrande, supliendo a los turistas de frutos de la región, bebidas naturales, leche de coco o ceviches.

Fruit sweets are crucial for the city's cuisine, and they meet each month at the Sweets Festival. Palenque women, with their baskets of fruit on their heads, are colorful characters in the Caribbean coast, always present on the beaches of the fives islands comprising the Rosario Islands and Bocagrande, supplying fruits from the region, natural beverages, coconut milk or ceviche to tourists.

artesanias
San MARTIN

MOMPOX

Fundada en 1540 en la orilla oriental del río Magdalena, en ese entonces principal vía de comunicación y comercio del país, Santa Cruz de Mompox fue próspera hasta el siglo XIII, cuando el río cambió su cauce. Su arquitectura refleja la pujanza de aquellos tiempos remotos. En Mompox sobresalen las iglesias de Santa Bárbara, San Agustín y San Francisco. Monumento Nacional por su patrimonio inmueble, Mompox es también famoso por su joyería artesanal en fi ligrana de oro y plata.

Founded in 1540 on the east bank of the Magdalena River, then the main means of communication and commerce of the country, Santa Cruz de Mompox was prosperous until the 13th century, when the river changed its course. Its architecture reflects the strength of those ancient times. The churches of Santa Bárbara, San Agustín and San Francisco stand above Mompox. Declared a National Monument due to its immovable heritage, Mompox is also famous for its handcrafted jewelry in gold and silver filigree.

A 248 km al sur de Cartagena y también en el departamento de Bolívar, se levanta la villa de Santa Cruz de Mompox, una de las más relevantes joyas arquitectónicas de la Colonia. En sus calles se yerguen imponentes construcciones civiles que se alternan con edificaciones religiosas ubicadas en las plazuelas. Una población famosa, entre otras cosas, por la celebración de la Semana Santa.

Declarada Monumento Nacional en 1959, Mompox se convirtió así en Patrimonio de la Humanidad, atributo otorgado por la Unesco. En la foto, la Iglesia de Santa Bárbara.

The town of Santa Cruz de Mompox, one of the most relevant architectural jewels of colonial times, is located 248 km south of Cartagena in the province of Bolívar. Stunning civil constructions alternating with religious buildings located on small squares stand on its streets. A town famous for, among others, the celebration of its Easter Week.

Declared a National Monument in 1959, Mompox thus became a Unesco World Heritage Site. In the photograph, the Church of Santa Bárbara.

Los pueblos situados en orillas del río Magdalena, como El Banco y Mompox, conservan una arquitectura tradicional, herencia de épocas cuando la navegación fluvial hacía de ellos importantes puertos comerciales.

Desde épocas coloniales, el trabajo en filigrana de oro le ha dado fama internacional a la orfebrería de Mompox. Recorriendo la vieja ciudad es inevitable encontrar en cada calle un taller familiar de filigrana, arte que ha sido heredado de generación en generación en los hogares momposinos.

The towns located along the banks of the Magdalena River, such as El Banco and Mompox, preserved a traditional architecture, a legacy of the times when the navigation through the river made them major commercial ports.

Since colonial times, work in gold filigree has given international fame to the goldsmithing of Mompox. A family workshop is bound to be found in every street in the Old Town that has been inherited from generation to generation of Mompox households.

SANTA MARTA

Pág. anterior. El puerto de Santa Marta está situado en la esquina noroccidental de la ciudad, limitado en el norte por los cerros de San Martín y en el occidente por el cerro Ancón y la ensenada de Tanganilla.

Recorrer las calles de Santa Marta y Ciénaga equivale a revivir la historia. Las edificaciones coloniales y republicanas son testimonio vivo de la importancia de la región como enclave económico del Caribe Colombiano. Se trata de un patrimonio arquitectónico que evoca la Conquista española, la naciente República, la bonanza bananera y el mundo mágico de Macondo. No obstante su conservación, el avance no se detiene, prueba de ello su arquitectura inteligente, que marca un nuevo hito urbanístico, a lo que se suman las modernas instalaciones hoteleras que suplen todas las expectativas turísticas.

Previous page. The port of Santa Marta is located on the northwestern corner of the city, bounded to the north by the hills of San Martín and to the west by the Ancón hill and the Cove of Tanganilla.
To walk the streets of Santa Marta and Ciénaga is equivalent to reliving history.

The colonial and republican buildings are living testimony to the importance of the region as an economic enclave in the Colombian Caribbean. It is an architectural heritage that evokes the Spanish Conquest, the nascent Republic, the banana boom and the magical world of Macondo . Despite its conservation, progress does not stop. Proof of this is its intelligent architecture, marking a new urban landmark added to modern hotel facilities that meet the expectations of tourists.

Con una población de 420.000 habitantes, Santa Marta fue erigida como Distrito Turístico, Cultural e Histórico en 1989. Hoy, su arquitectura republicana evoca los tiempos de la irrupción del ferrocarril, que jalonaron la economía de la región. Enriquecidos por la bonanza bananera, los cienagueros viajaban a Europa de donde regresaban colmados de ideas renovadoras para poner al día su ciudad inspirados en el art nouveau. Así, pasó a ser una ciudad con amalgamas caribeñas y europeas como lo muestran numerosas edificaciones.

With a population of 420,000, Santa Marta was proclaimed as Touristic, Cultural and Historical District in 1989. Today, its republican architecture is evocative of the times when the railroad first emerged, which drove the region's economy. Enriched by the boom of the banana trade, the cienagueros traveled to Europe from where they returned full of innovative ideas inspired by art nouveau to modernize their city, transforming Santa Marta into a Caribbean and European melting pot, embodied by many of its buildings.

Las primeras construcciones de Santa Marta fueron bohíos de madera y hojas de palma, muy semejantes a los de los nativos. Santa Marta es noble, no sólo por ser la primera ciudad hispánica del Caribe continental, ni por haber acogido al Libertador en su agonía, tampoco porque desde allá comenzara la conquista del Nuevo Reino de Granada, lo es porque cada rincón ha sabido conservar la memoria de su rico pasado y ver en él la clave de su presente y su porvenir. Es una ciudad que frecuentemente sorprende con caras amables: el escritor Illán Baca, el futbolista Carlos Valderrama, el cantante Carlos Vives o el arquitecto Carlos Proenza son algunos inspirados por ese aire creador.

The first buildings of Santa Marta were huts made of wood and palm leaves, similar to the natives'. Santa Marta is noble, not only for being the first Hispanic city of the continental Caribbean, and for hosting the Libertador in his last days, and not as the starting point of the conquest of the New Kingdom of Granada; it is noble because every corner has known how to preserve the memory of its rich past and see it as the key to its present and its future. It is a city that delights its visitors with friendly faces: the writer Illán Baca, soccer player Carlos Valderrama, singer Carlos Vives singer or architect Carlos Proenza are some of the artists that have been inspired by Santa Marta's creative atmosphere.

El Morro de Santa Marta es un islote rocoso de 67 metros de altura que emerge en el centro de la bahía y ha estado siempre ligado a la historia de la ciudad. Durante un tiempo fue una cárcel, y ahora sobre su superficie se yergue el faro que alumbra la entrada de las embarcaciones al puerto, y radares que velan por la seguridad de la navegación.

La profundidad y seguridad de su bahía hacen que se lo considere uno de los puertos más importantes del país. Productos como el aceite de palma que se cultiva en la región, el café de la Sierra Nevada de Santa Marta y el banano de la zona bananera del Magdalena, salen por el puerto hacia el resto del mundo. Con sus siete muelles, ofrece los beneficios de un almacenaje seguro en sus bodegas y patios, y atendiendo a sus usuarios durante 24 horas al día todos los días del año. Es, además, el único puerto de la Costa Atlántica con servicio de ferrocarril, permitiendo la posibilidad de efectuar cargues y descargues directos en los muelles.

El Morro de Santa Marta is a small, rocky island measuring 67 meters in height that emerges in the middle of the bay and has always been linked to the history of the city. It was a prison for a while, but it is currently the home of the lighthouse that brightens the entrance of the ships into the port, and radars that ensure the safety of navigation.

The depth and safety of the bay makes it one of the most important ports in country. Products such as palm oil, grown in the region, the coffee of Sierra Nevada de Santa Marta, and the bananas of the banana zone of Magdalena leave through the port for the rest of the world. Its seven docks offer the benefits of a safe storage in warehouses and stockyards, and serve their users 24 hours a day every day of the year. It is also the only port on the Atlantic Coast with a rail service, allowing the direct loading and unloading of cargo at the docks.

El sector turístico de El Rodadero recibe su nombre de la montaña de arena situada en el cerro vecino a la playa, que invitaba a los bañistas a bajar rodando desde su cima, hasta sumergirse en las aguas de la bahía. Su urbanización se inició en 1954, en un crecimiento lento pero sostenido, que ha hecho de El Rodadero lo que es hoy: un verdadero emporio turístico con cerca de 14 mil apartamentos en lujosos edificios. Entre las opciones para gozar de las noches en El Rodadero, están los paseos en bicicleta, en berlinas o coches del siglo XVIII, o en minitrenes turísticos por las calles del sector. El Acuario de Santa Marta se encuentra a sólo cinco minutos en lancha de las playas de El Rodadero. En sus instalaciones se puede admirar delfines,tiburones, focas y tortugas, además de una gran variedad de peces del mar. También allí tiene su sede el Museo del Mar, obra del capitán Francisco Ospina Navia, quien ha reunido en él un gran número de especies marinas, como también restos de galeones españoles hundidos en los tiempos de la Colonia.

The touristic sector of El Rodadero received its name from the sand mountain located at a hill near the beach, inviting swimmers to roll down from the top to dive into the waters of the bay. Its development began in 1954, in a slow but sustained growth that has made El Rodadero what it is today: a true tourist emporium with about 14 thousand apartments in luxury buildings. Among the options to enjoy the nights at El Rodadero are rides on bikes or on 18th century sedans, or on mini-train tour throughout its streets. The Aquarium of Santa Marta is located only five minutes by boat from the beaches of El Rodadero, and its facilities are the home to dolphins, sharks, seals and turtles, and a variety of fish from the sea. The Museum of the Sea, designed by Captain Francisco Ospina Navia, is also located in that sector. The Museum includes a significant number of marine species and remains of sunken Spanish galleons in colonial times.

Sierra Nevada de Santa Marta

La Sierra Nevada de Santa Marta se yergue al norte de Colombia, como un macizo montañoso aislado al pie del mar Caribe. Desde las blancas arenas de sus costas caribeñas, asciende a través de estrechos, valles y contrafuertes por zonas desérticas, bosques húmedos tropicales, bosques andinos nublados y páramos, hasta llegar a las nieves perpetuasen los picos Bolívar y Colón, a 5.775 msnm, albergando así todos los pisos térmicos con increíble variedad de ambientes y una variedad única de especies de flora y fauna.

Pág. siguiente. Todas las playas del Parque Tayrona, en inmediaciones de la Sierra Nevada, se caracterizan por su belleza exótica. Al interior del Parque también se encuentra la quebrada Valencia, una paradisíaca laguna conformada por aguas de ríos, quebradas, arroyuelos y las aguas provenientes del mar.

Sierra Nevada de Santa Marta stands in the northern region of Colombia as an isolated mountain next to the Caribbean Sea. From the white sands of the Caribbean coast, it ascends through narrow valleys and small hills through desert areas, tropical rainforests, Andean cloud forests and the moors, reaching the Bolívar and Colón peaks of perpetual snow at 5,775 meters above sea level, housing all thermal levels with an incredible and unique variety of flora and fauna.

Next page. All of the beaches of the Tayrona Park, near the Sierra Nevada, are characterized by their exotic beauty. The Valencia stream is also found inside the park, a paradisiac lagoon formed by waters from rivers, creeks and the sea.

Poblado Kogui en la vertiente norte de la Sierra. El bohío de mayor tamaño es el templo o casa ceremonial, donde se reúnen los hombres para ceremonias especiales. La Sierra Nevada es considerada por los indígenas como un cuerpo donde todo está conectado: las partes altas, donde están las lagunas y picos nevados, con las partes bajas, donde desembocan los ríos en el mar. Para los indígenas de la Sierra cada uno de estos sitios es sagrado y es su conexión lo que conforma el límite espiritual del territorio ancestral indígena. En las partes altas, cerca de las lagunas sagradas, habitan los Mayores, en los centros ceremoniales. En las partes medias, donde las tierras son mejores para el desarrollo de los cultivos, se encuentran los poblados principales y las fincas indígenas. En las bajas se ubica la población campesina y los centros urbanos.

Kogui town in the northern slope of the Sierra. The largest hut is the temple or ceremonial house, where men gather for special ceremonies. The Sierra Nevada is regarded by the indigenous people as a body where everything is connected: the highlands, the location of the lagoons and the snowy peaks, and the lowlands, where the rivers flow into the sea. For the people of the Sierra, each of these sites is sacred and their connection is what forms the spiritual boundary of the ancestral indigenous territory. The Elders live in the ceremonial centers in the highland, near the sacred lagoons. The main indigenous towns and farms are located in the middle part, where the land is best for crops. The peasant population and the urban centers are located at the lowland.

Ciudad Perdida o Teyunna, localizada en el valle del río Buritaca, es una de las principales ciudades de piedra construidas por los antiguos tayronas, que aún conserva su estructura original. Está conformada por más de 200 terrazas y caminos de piedra que reflejan el conocimiento de sus constructores en el manejo de las condiciones ambientales y de los recursos naturales del macizo.

En la comunidad indígena la comunidad sostiene materialmente a los mayores, y estos orientan espiritualmente a su comunidad. Los niños aprenden de los mayores su historia y entienden que la fuerza está en cumplir y mantener las normas que los identifican como indígenas. Los intereses se establecen desde lo colectivo y no desde lo individual; todos reciben un nombramiento y una función desde que nacen.

The Lost City or Teyunna, located in the valley of the Buritaca River, is one of the major cities of stone built by the ancient Tayrona that still preserves its original structure. It is formed by more than 200 terraces and stone paths that reflect the knowledge of its builders in the management of the environmental conditions and the natural resources of the massif.

Within the indigenous culture, the community supports the elders and they guide the community in spiritual matters. Children learn their history from their elders and understand that being strong means to fulfill and maintain the traditions that identify them as a people. Interests are established from the collective and not from the individual; everyone receives a name and a duty since birth.

Las mochilas representan el territorio, el origen y la misión que tienen en la Tierra los cuatro pueblos indígenas de la Sierra Nevada. La de algodón, 'sugamé', tejida por las mujeres, es de uso exclusivo en el atuendo de los hombres, y sus diseños connotan los linajes a que pertenecen; la de fi que, 'gama', es para cargar el equipaje durante las largas caminatas en la Sierra, actividad permanente entre las mujeres, quienes tejen incluso mientras caminan.

Knapsacks represent the territory, the origin and mission on Earth of the four tribes of the Sierra Nevada. The cotton knapsack, called "sugamé" and weaved by women, is exclusively worn by men, and their designs represent the lineages to which they belong. The fiber knapsack, called "gama", is used to carry the luggage during the long walks at the Sierra, a permanent activity among women, who even weave while they walk.

La estrella hídrica de San Lorenzo, o cerro Nakulindue, es un importante sitio sagrado para los indígenas de la Sierra Nevada de Santa Marta, madre del agua y donde nacen siete de los 35 ríos principales que posee la Sierra. De aquí se abastece de agua Santa Marta, así como otras poblaciones. La Sierra Nevada de Santa Marta es un macizo independiente del sistema andino que se eleva desde el mar hasta 5.775 metros de altura. Constituye un ecosistema único en el mundo, con un área de 383 mil hectáreas protegidas bajo el sistema de Parques Nacionales Naturales.

Neguanje es la más grande de las bahías del Parque Nacional Tayrona. Está ubicada en la parte central de la costa que corresponde a esta área protegida. Tiene las playas más expuestas al oleaje por la amplitud de la apertura del mar. La parte apta para el turismo consiste en dos amplias playas de arenas doradas separadas por una saliente de rocas.

The water star of San Lorenzo, or Nakulindue Hill, is an important sacred site for the indigenous people of the Sierra Nevada de Santa Marta, the mother of water and the birthplace of seven of its 35 major rivers. This is the source of the water supply of Santa Marta and other locations. The Sierra Nevada de Santa Marta is an independent massif from the Andean system that rises from the sea and up to 5,775 meters high. Its ecosystem is unique in the entire world, with an area of 383 thousand hectares protected under the National Parks system.

Neguanje is the largest of the bays of the Tayrona National Park. It is located in the central part of the coast corresponding to this protected area, and its beaches are the most exposed to the waves due the amplitude of the opening to the sea. The part suitable for tourism consists of two large golden beaches separated by a ledge of rocks.

Los ríos de bajo caudal sólo pueden romper en sus épocas de crecida los bancos de arena construidos por el arrastre litoral; en la foto, el río Mendiguaca en el Parque Tayrona. La diversidad de climas separados por distancias muy cortas, favorece la existencia de una asombrosa variedad animal y vegetal. Parte de esta riqueza está representada en una abundante diversidad de especies endémicas que se encuentran en el macizo, donde sobresale el grupo de anfibios, con 17, el grupo de los reptiles con 12 especies y las aves con 14 especies endémicas. El ecoturismo dispone de una amplia base de desarrollo relacionada con la diversidad vegetal.

Existen en el territorio del macizo dos parques naturales: el Parque Nacional Natural de la Sierra Nevada de Santa Marta y el Parque Nacional Natural Tayrona, el primero de los cuales se traslapa con el Resguardo Arhuaco y el Resguardo Kogui-Wiwa-Arhuaco.

The sandbanks built by the coastal drag can only be broken by the low-flow rivers during the flood season. In the photograph: the Mendiguaca River at the Tayrona Park. The diversity of climates, separated by very short distances, favors the existence of an amazing variety of plants and animals. Some of this wealth is represented by a rich diversity of endemic species found in the mountains, among which the group of amphibians, with 17, the group of reptiles, with 12 species, and birds, with 14 endemic species, stand out. Ecotourism has a broad base of development related to plant diversity.

There are two natural parks within the massif: the Sierra Nevada de Santa Marta National Park and the Tayrona National Park, the first of which overlaps with the Arhuaco Reserve and the Kogui-Wiwa-Arhuaco Reserve.

BARRANQUILLA

Pág. anterior. Puerto Colombia, ubicado a tres kilómetros de la ciudad, es un lugar ideal para pescar y practicar deportes acuáticos.
El barrio El Prado fue construido entre 1920 y 1930, en la década de mayor prosperidad de la ciudad, como una ciudad al lado de la ya existente, siguiendo los modelos de la modernidad europea y norteamericana.

El Prado, primer hotel turístico del país, inaugurado en 1930, de una belleza y armonía arquitectónica que aún se conservan, es una muestra.

Previous page. Puerto Colombia, located three kilometers away from the city, is an ideal place to practice fishing and water sports.
The El Prado neighborhood was built between 1920 and 1930, Barranquilla's most prosperous decade, as a city next to the existing one, following the models of European and American modernism.

El Prado, the first resort hotel in the country, opened in 1930 and its beauty and architectural harmony are still preserved.

El tradicional y famoso Carnaval de Barranquilla, uno de los más alegres del mundo, fue declarado Patrimonio de la Humanidad por la Unesco en el año 2003; reproduce y transforma el rico y variado patrimonio cultural de origen europeo, africano y autóctono de la ciudad. El carnaval se celebra anualmente, en los cuatro días precedentes a la Cuaresma cristiana, tiempo en el cual la ciudad se llena con numerosos espectáculos coreográficos,musicales, líricos y teatrales, en una fiesta de cumbias, porros, mapalés, gaitas, chandés, puyas, fandangos y merecumbés. Su diversidad se hace tangible a través de sus danzas, que pueden ser tradicionales, de relación –acompañadas con versos– y especiales –con argumento propio–, comparsas, comedias, letanías y disfraces.

The traditional and famous Carnival of Barranquilla, one of the happiest in the world, was declared Intangible Cultural Heritage by Unesco in 2003; it reproduces and transforms the rich and varied cultural heritage of the European, African and indigenous origins of the city. The carnival is held annually during the four days preceding the Christian Lent, a time when the city is filled with numerous choreographic, musical, lyrical and theatrical performances, in a celebration of cumbias, porros, mapalés, gaitas, chandés, puyas, fandangos and merecumbés. Its diversity is made tangible though its dances, which may be traditional dances, relationship dances, accompanied by verses, and special dances – with their own plot –, comparsas, comedy, litanies and costumes.

Los caños del Parque Isla Salamanca, situados entre las ciudades de Barranquilla y Santa Marta, cubiertos de nenúfares y habitados por miles de especies, son una muestra característica del ecosistema de manglar. Las guacamayas silvestres viven en bosques lluviosos no perturbados. El canaguaro, del grupo de los tigrillos, es el más grande y el de cola más corta de Colombia.

The streams of the Salamanca Island Park, located between the cities of Barranquilla and Santa Marta, covered with lilies and inhabited by thousands of species, are a characteristic example of the mangrove ecosystem. Wild parrots live in undisturbed rainforest. The canaguaro, of the group of ocelots, is the largest one and the one with the shortest tail in Colombia

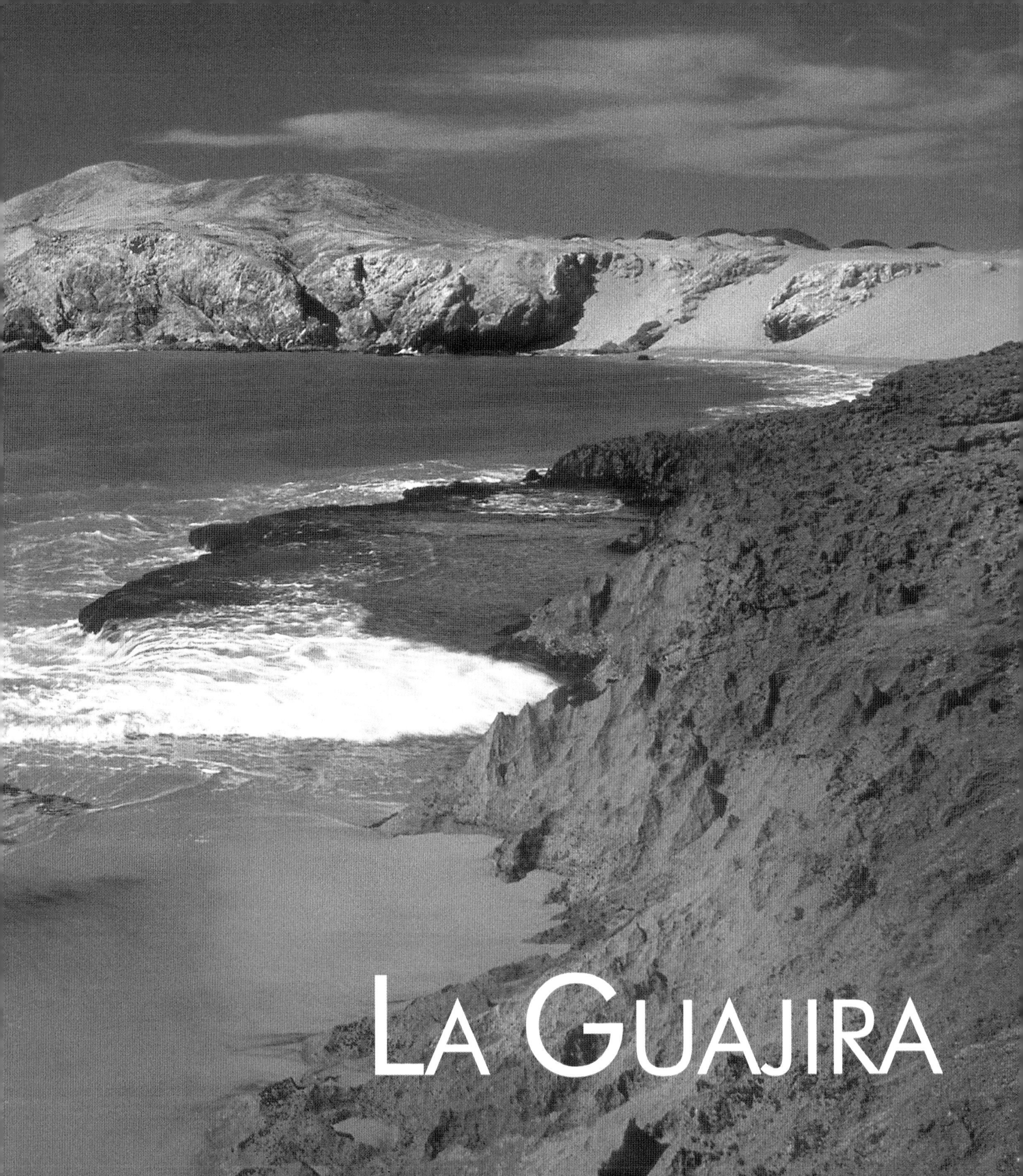
LA GUAJIRA

La Guajira posee la zona costera más extensa del Caribe colombiano, con 384 kilómetros, lo que hace de la pesca una de las actividades económicas más promisorias del departamento. Allí subsisten más de 60 comunidades de pescadores, que en su mayoría pertenecen a la etnia wayúu. El litoral guajiro presenta accidentes costaneros como las bahías Honda, Manaure y Tucaras, y los cabos de La Vela y Falso.

Económicamente el departamento depende de la minería, el comercio y, en menor escala, de la ganadería, la agricultura y el turismo. Son esenciales sus recursos carboníferos y la explotación de sal.

La Guajira has the largest coast in the Colombian Caribbean, spanning 384 kilometers, which makes fishing one of the most promising economic activities of the province. It is the home of more than 60 fishing communities, which mostly belong to the Wayúu ethnic group. The littoral of La Guajira presents coastal features such as the Bays of Honda, Manaure and Tucaras and the Capes of La Vela and Falso.

Economically, the province depends on mining, trade and to a lesser extent on livestock raising, agriculture and tourism. Its coal resources and exploitation of salt are essential for its development.

En un enorme desierto se ubica el departamento de La Guajira, una de las zonas más atractivas para el turismo por sus bellas playas, parques naturales y santuarios, como el Santuario de Fauna y Flora en proximidades de Riohacha, la capital del departamento, donde las bandadas de flamencos es una imagen recurrente de los paisajes de la península de La Guajira.

Los indígenas wayúu, un pueblo recio que conserva fielmente sus valores ancestrales circundan toda la zona. La pesca es la más importante actividad económica de los wayúu que viven en la costa. Otra fuente de subsistencia ha sido la explotación de la sal en Manaure.

The province of La Guajira is located in a vast dessert, one of the most attractive areas for tourism for its beautiful beaches and natural parks and sanctuaries, such as the Fauna and Flora Sanctuary near Riohacha, the capital, where the flocks of flamingoes is a recurring image of the landscape of the peninsula.

The Wayúu, a mighty people who faithfully preserved their ancestral values, live throughout the area. Fishing is the most important economic activity for the Wayúu who live on the coast. Another source of livelihood has been the exploitation of salt in Manaure.

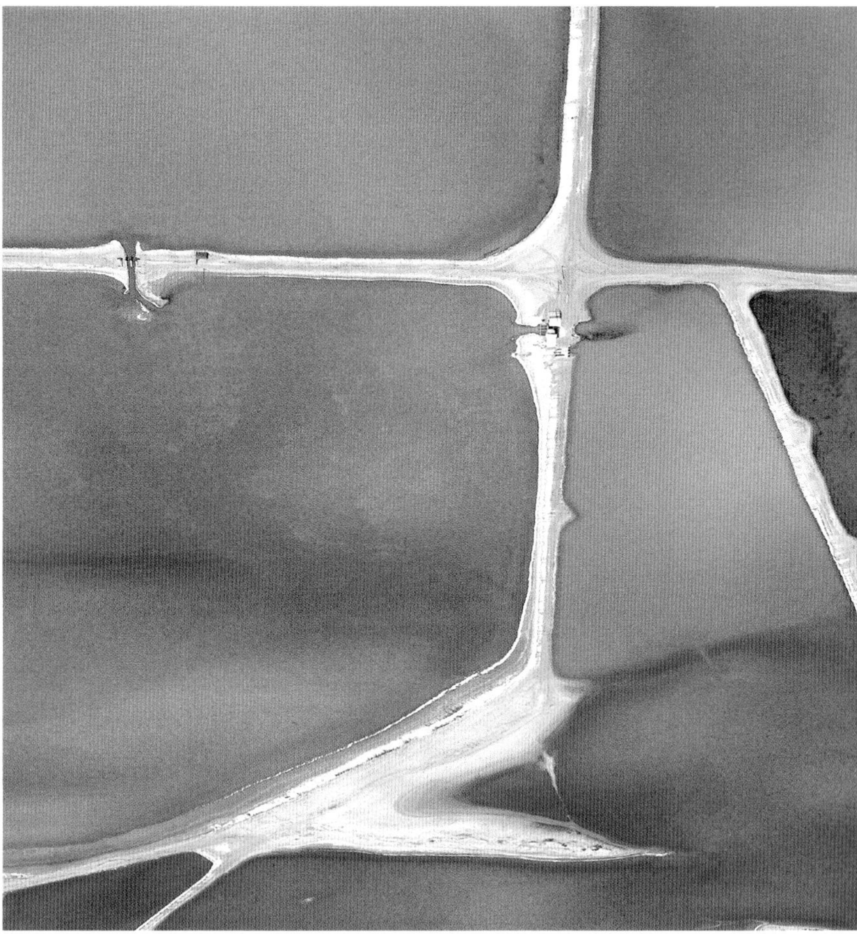

El municipio guajiro de Manaure proporciona un 90% de la sal que consume nuestro país en procesos tanto culinarios como industriales.

Sus salinas abastecen el sustento de numerosas familias que se benefician con la explotación de este rico recurso natural, regalo del mar Caribe.

La explotación de sal en Manaure se remonta siglos atrás, y muchas familias aún utilizan técnicas rudimentarias que requieren gran esfuerzo físico.

En la foto, vista aérea de los secaderos de sal en Manaure, en el departamento de La Guajira.

The municipality of Manaure provides 90 % of the salt consumed in our country, both for culinary and industrial processes.

Its salt mines support many families who benefit from the exploitation of this rich natural resource, a gift from the Caribbean Sea.

The exploitation of salt in Manaure dates back many centuries, and many families still use rudimentary techniques requiring great physical effort.

In the photograph, an aerial view of the drying salt at Manaure, in the province of La Guajira.

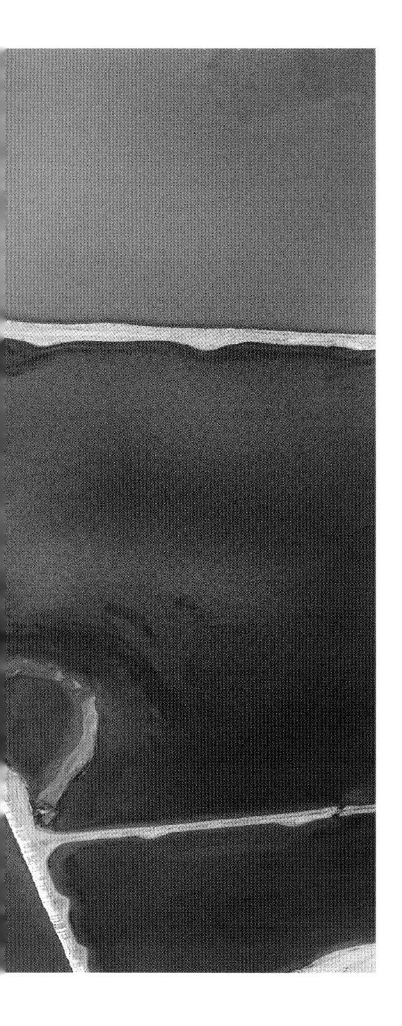

El territorio de La Guajira está conformado por la península de ese nombre y parte de las estribaciones de la Sierra Nevada de Santa Marta. En las costumbres guajiras, los matrimonios suelen seguir el modelo poligámico, el cual es también símbolo de poder y riqueza. La justicia se aplica por iniciativa privada, en respuesta a la transgresión de costumbres o al incumplimiento de obligaciones. Los niños wayúu nacen en casa, en parto asistido por la madre de la mujer o por una pariente cercana. Para garantizar la supervivencia del bebé, los integrantes de la familia se alimentan con una dieta mínima.

The territory of La Guajira consists of the peninsula of the same name and part of the foothills of the Sierra Nevada de Santa Marta. According to the customs of its people, marriages often follow the polygamous model, which is also a symbol of power and wealth. Justice is applied by private initiative, in response to the violation of customs or breach of duty. The Wayúu children are born at home, assisted by the mother of the woman or by a close relative. To ensure the survival of the baby, the family members are fed a minimal diet.

San Andrés y Providencia

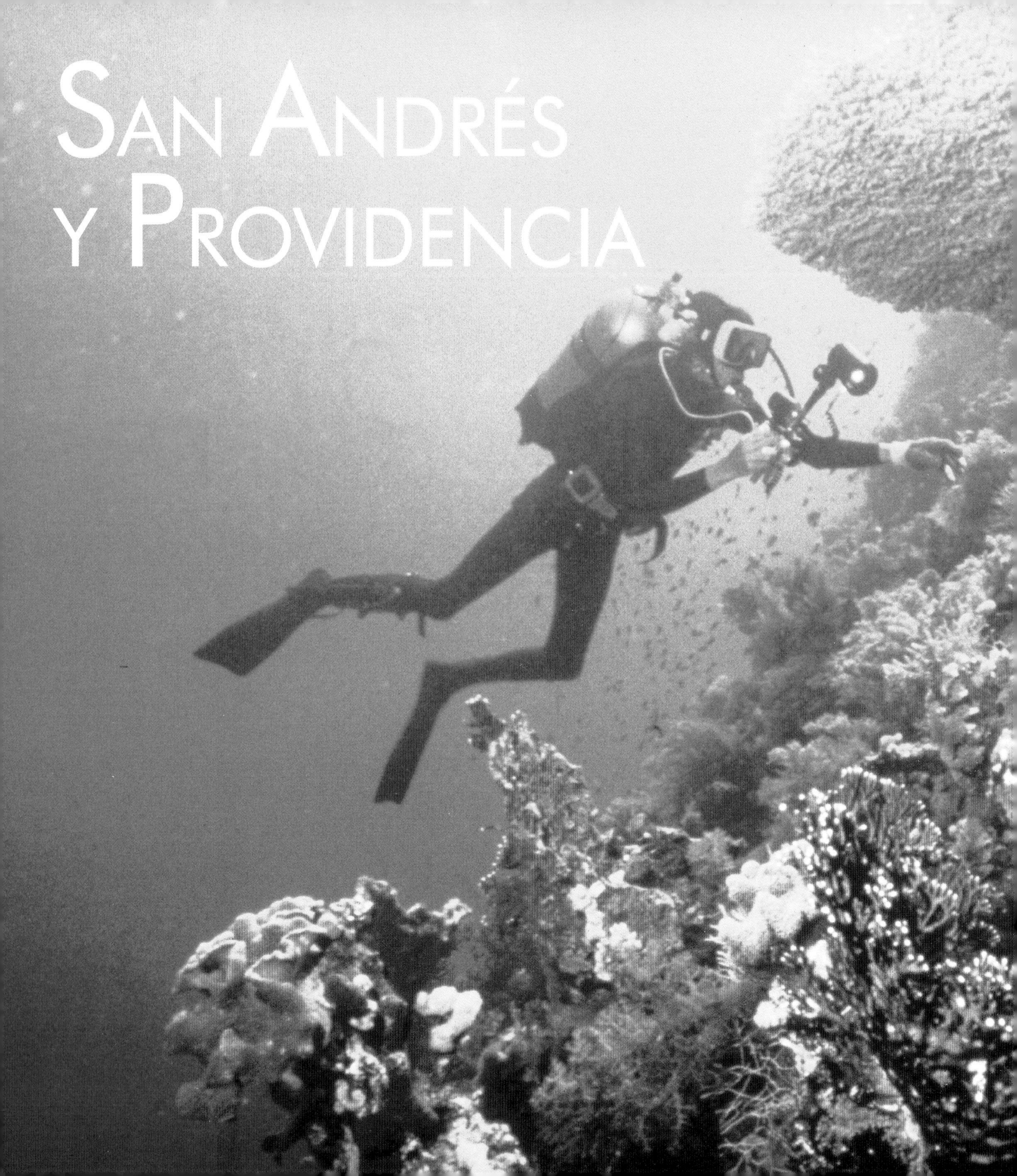

Pág. anterior. El mar sanandresano es pródigo en corales, lo que fomenta la práctica de buceo.

En las dos costas colombianas, los pescados y mariscos a menudo se comercian en la misma playa donde desembarcan, y de ahí salen directamente a las cocinas y las mesas. Dentro de las especialidades gastronómicas está el rondón, cuya preparación tiene gran significancia porque a cada integrante o comensal se le designa una labor. Existe una industria pesquera en expansión que exporta a los grandes mercados del mundo. La población de la isla tiene además gran habilidad para desarrollar artesanía propia de la región, aunque le otorgan especial lugar a los encuentros musicales, en los que, como en el festival anual de Green Moon, escritores, músicos, narradores, pintores, escultores se dan cita para fortalecer los vínculos caribeños.

Previous page. The sea at San Andrés is full of corals, which promotes diving.

In both Colombian coasts, fish and seafood are often traded at the same beach where they disembark, and then go directly to kitchens and tables. Rondón is one the gastronomic specialties of the Islands, which preparation has great significance because each member or guest is charged with a task. There is a growing fishing industry that exports to the major markets of the world. The population of the island is also quite skillful in the development of its own handicrafts, although a special place is reserved for musical events, such as the annual Green Moon festival, where writers, musicians, storytellers, painters and sculptors meet to strengthen their ties to the Caribbean.

En los últimos años se han construido algunos edificios modernos con apartamentos totalmente amoblados para los residentes o turistas que prefieren esta opción. No obstante, la red hotelera de San Andrés y Providencia atiende las exigencias de turistas de todo el mundo. El puerto marítimo ha jugado un papel fundamental en el desarrollo comercial de la isla. Constituye la puerta a través de la cual entra el mayor número proveniente de otros lugares. No sólo arriban mercancías para ser vendidas en los puntos comerciales sino productos de primera necesidad para los habitantes del Archipiélago.

In recent years, some modern buildings with fully furnished apartments for residents or tourists who prefer this option have been built. However, the hotel network of San Andrés y Providencia serves the needs of tourists from all around the world. The seaport has played a key role in the commercial development of the island, and it has become the gate of entrance of the greatest number of goods coming from all over the world, including goods to be sold at shopping centers and also essential products for the inhabitants of the archipelago.

También llamado islote Sucre, es el cayo más cercano a San Andrés, situado a un kilómetro y medio de la isla. En su extensión, de unas cinco hectáreas, crecen numerosos cocoteros y la vegetación típica del archipiélago, que refresca el ambiente e incita a nadar en las playas blancas de aguas cristalinas. Fue declarado Parque Regional en el año 2001, y en él los visitantes pueden apreciar de cerca el hábitat de las iguanas. Cayo Cangrejo es un lugar donde el turista se detiene para disfrutar de un ceviche de camarones o de una de las bebidas tradicionales como el cocoloco. Las playas de San Andrés tienen la particularidad de que en muy pocas ocasiones sus aguas se embravecen.

Also known as the Sucre Islet, it is the closest cay to San Andrés and is located one and a half kilometers away from the island. Coconut trees and the vegetation typical of the archipelago grow throughout the Islet of about five hectares, freshening the air and encouraging visitors to swim in the pristine waters of its white beaches. It was declared a regional park in 2001, and visitors can see the habitat of iguanas up close. Cangrejo Cay is a place where tourists can stop to enjoy a shrimp ceviche or one of the traditional drinks like Cocoloco. One of the particularities of the beaches of San Andrés is that their waters are rarely rough.

Johnny Cay es un pequeño cayo frecuentado por nativos y turistas. El recorrido consiste en salir desde temprano en una de las lanchas de la playa principal, para permanecer durante todo el día en el lugar, degustando exquisitos platos marinos y comprando artesanía rasta. Para los aficionados al buceo, los lugares más visitados son Cayo Bolívar y Albuquerque, alucinantes paisajes. Actualmente las escuelas de buceo especializado tienen lugar en el Archipiélago, y a ellas acuden fielmente adeptos de todo el país. Los hermosos arrecifes de coral permiten a los buceadores conocer complejos ecosistemas marinos. Hace 45 años se fundó el Club Náutico y desde entonces se ha constituido en centro social por excelencia.

Johnny Cay is a small cay frequented by locals and tourists. The tour consists of going out early in one of the boats from the main beach to stay there all day, tasting exquisite seafood dishes and buying rasta handicrafts. For diving enthusiasts, the most visited places are the Bolívar and Albuquerque Cays with their breathtaking landscapes. Specialized diving schools can be found throughout the Archipelago, and are faithfully attended by supporters across the country. The beautiful coral reefs allow divers to see complex marine ecosystems. The Yacht Club was founded 45 years ago and has become a social center par excellence since then.

Entre los numerosos atractivos turísticos que San Andrés ofrece a sus visitantes, pueden destacarse la playa de Spratt Bight, la principal de la isla, y su vía peatonal, ideal para quienes disfrutan las caminatas a la orilla del mar; la cueva de Morgan, cavidad subterránea abierta en una gran masa coralina; la bahía del Cove, ubicada en el costado occidental de la isla y propicia para el buceo; el West View, acantilado idóneo para practicar clavados y nadar entre peces multicolores; el Hoyo Soplador, que parece un géiser de litoral; el Parque Regional de Mangle Old Point, Santuario de Flora y Fauna próximo al centro urbano, y muchos más.

Spratt Bight Beach, the island's main beach, and its pedestrian street stand out among the many tourist attractions offered to visitors, ideal for those who enjoy walking next to the sea; Morgan's Cave, an underground open cavity in a great mass of coral; Cove Bay, located in the western side of the island and perfect for diving; the West View, a cliff to practice diving and swimming among colorful fish; the Blowhole, which seems like a coastline geyser; the Mangle Old Point Park, a sanctuary for flora and fauna near the city center, and many more.

Al archipiélago de San Andrés arribaron en el año 2007 más de 253.000 turistas nacionales y más de 60.000 internacionales. Cruceros trasatlánticos fondean en la bahía de Cove, para que sus pasajeros gocen durante horas del encanto sanandresano. Para quienes observan la llegada de los navíos el espectáculo es sorprendente, ya que se trata de ciudades flotantes con todas las comodidades a bordo.

In 2007, the archipelago of San Andrés welcomed more than 253,000 domestic and 60,000 international tourists. Transatlantic cruise liners drop anchor in Cove Bay, so that their passengers enjoy the charm of San Andrés for a few hours. The arrival of the ships is an impressive sight for anyone watching, since they are floating cities with all the amenities on board.

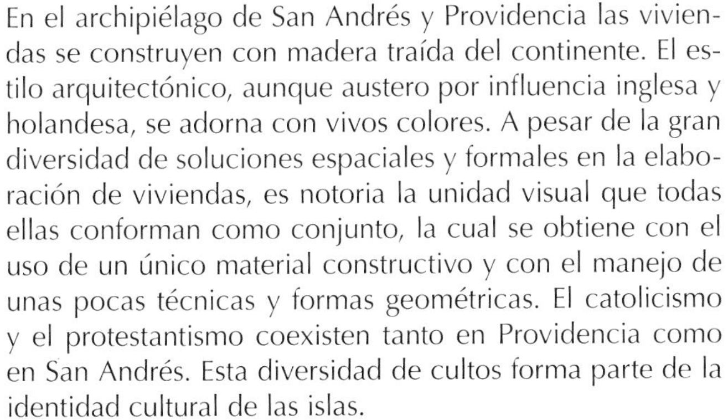

En el archipiélago de San Andrés y Providencia las viviendas se construyen con madera traída del continente. El estilo arquitectónico, aunque austero por influencia inglesa y holandesa, se adorna con vivos colores. A pesar de la gran diversidad de soluciones espaciales y formales en la elaboración de viviendas, es notoria la unidad visual que todas ellas conforman como conjunto, la cual se obtiene con el uso de un único material constructivo y con el manejo de unas pocas técnicas y formas geométricas. El catolicismo y el protestantismo coexisten tanto en Providencia como en San Andrés. Esta diversidad de cultos forma parte de la identidad cultural de las islas.

In the archipelago of San Andrés y Providencia, houses are built with wood brought from the mainland. The architectural style, although austere under English and Dutch influence, is decorated with bright colors. Despite the wide range of spatial and formal solutions available for the development of housing, the visual unit all houses form as a whole is quite striking, which is obtained with the use of the same construction materials and the use of few techniques and geometric shapes. Catholicism and Protestantism coexist in Providencia and in San Andrés. This diversity of religion is part of the cultural identity of the islands.

Antioquia y Triángulo Cafetero

Antioquia and the Coffee Triangle

Pág. anterior. En inmediaciones de los municipios de Guatape y El Peñol, al pie del embalse, donde son practicados deportes náuticos, se encuentra la gigantesca piedra de El Peñol, en cuyas inmediaciones, los antioqueños han instalado casas de recreo. En el cerro Nutibara de Medellín se yergue el Pueblito Paisa, réplica de una aldea de antaño diseñada en 1977 por el arquitecto Julián Sierra.
Tiene iglesia doctrinera, casa cural, escuela, farmacia, barbería, café y una típica plaza con su fuente de piedra. Visitar el Pueblito es cita obligada de turistas en chivas.

Previous page. The gigantic stone of El Peñol is located near the towns of Guatape and El Peñol, at the foot of the dam where water sports are practiced, in which vicinity many locals have built their holiday homes. The Pueblito Paisa is located at Nutibara hill in Medellín, a replica of an early village designed in 1977 by architect Julián Sierra. It has a church, a rectory, a school, a pharmacy, a barbershop, a café and a typical square with its stone fountain. Visiting the Pueblito is a must-see for tourists riding chivas.

La zona montañosa del departamento de Antioquia conforma, junto con los departamentos de Caldas, Quindío y Risaralda, la región paisa de Colombia. Cuando los españoles llegaron en el siglo XVI encontraron fuerte resistencia de numerosas tribus caribes, que se defendían con arcos y flechas envenenadas y practicaban la antropofagia, por lo que la lucha contra los nutabes, catíos y tahamíes fue encarnizada. Otro grupo importante, que se encontraba en franco declive a la llegada de los europeos, era el Quimbaya.

En 1541, el mariscal Jorge Robledo partió del asentamiento hoy desaparecido de Arma, al sur de Antioquia, en una expedición hacia el norte por la ribera derecha del río Cauca. Ese mismo año fundó en esa ribera la población de Santa Fe de Antioquia, considerada desde entonces la Ciudad Madre de Antioquia.

Enclavada entre montañas, Antioquia estaba geográficamente aislada. Sufría problemas de abastecimiento y su relieve tampoco permitía extender mayormente los cultivos. Por esta razón, los antioqueños se dedicaron a la extracción de oro, a desmontar selva y a abrir hacia el sur rutas comerciales.

Se transformaron en colonizadores y negociantes que conquistaron a fi lo de hacha las tierras del Gran Caldas, contribuyendo a la expansión de la cultura paisa hacia finales del siglo XIX.

Los Andes atraviesan Antioquia de sur a norte en dos ramales: la Cordillera Occidental y la Cordillera Central. Ésta, a su vez, se ramifica en dos en el departamento, y en medio se extiende un valle conocido como Valle de Aburrá, donde se erige la ciudad capital, Medellín, llamada también Capital de la Montaña.

El Gran o Viejo Caldas se desmembró en 1966, quedando dividido en tres departamentos: Caldas, Quindío y Risaralda, con Manizales, Armenia y Pereira como sus respectivas capitales. Zona de cultivo y producción de café, recibe hoy en día los nombres de Eje Cafetero o Triángulo Cafetero, y sus fincas agroturísticas acogen numerosos visitantes que llegan atraídos por el prestigio mundial de su café, y por la emblemática fi gura de Juan Valdez.

The mountainous area of the province of Antioquia, together with the provinces of Caldas, Quindío and Risaralda, form the paisa region of Colombia. When the Spanish arrived in the 16th century, they found strong resistance from many Caribe tribes, who defended themselves with poisoned arrows and practiced cannibalism, leading to fierce battles with the with Nutabes, Catíos and Tahamí. Another important group, which was in decline with the arrival of the Europeans, was the Quimbaya.

In 1541, Marshal Jorge Robledo left the now defunct settlement of Arma, south of Antioquia, for an expedition north along the right bank of the Cauca River. That same year he founded the town of Santa Fe de Antioquia on that bank, considered since then the Mother City of Antioquia.

Nestled between mountains, Antioquia used to be geographically isolated. It suffered from supply problems and its topography did not allow the extension of crops in a significant extent. For this reason, its inhabitants started to develop gold mining and to strip down the jungle to open trade routes to the south.

They became colonizers and traders who conquered the lands of Gran Caldas with the edge of their axes, contributing to the expansion of the paisa culture at the end of the 19th century.

The Andes cross through Antioquia from south to north in two branches: the Western Mountain Range and the Central Mountain Range, which, in turn, is divided into two within the province. In the middle, there is a valley known as the Valley of Aburrá, where the capital city, Medellín, also known as the Capital of the Mountain, stands today.

The Great or Old Caldas broke up in 1966 and was divided into three provinces:

Caldas, Quindío and Risaralda, with Manizales, Pereira and Armenia as their capitals. An area dedicated to the growing and production of coffee, it is currently known as the Eje Cafetero or Triángulo Cafetero (Coffee Belt or Coffee Triangle), where many agritourism farms welcome visitors attracted by the global prestige of its coffee, and by the iconic figure of Juan Valdez.

LOS TABORDA

En Medellín y en el valle de Aburrá se conservan aún construcciones tradicionales, fuertemente influidas por el elemento español. En Medellín se realiza cada año la Feria de las Flores, en la que tiene lugar el tradicional 'desfile de los silleteros'. En el evento convergen expresiones de la floricultura provenientes de todos los pueblos circundantes. Muestras particulares se trasladan a algunos municipios o poblados de toda la región. La elaboración de cada silleta parte de un diseño, la consecución de las flores indicadas y la congregación de toda la familia al momento de hacer el exquisito montaje de aromas y color.

Traditional buildings are still preserved in Medellín and in the Valley of Aburrá, strongly influenced by the Spanish Style. The Festival of Flowers is held each year in Medellín, with the traditional parade of the silleteros, where expressions of floriculture from all surrounding tows come together. Particular versions of the festival are held in some municipalities or townships all over the region. The development of each saddle with a specific design, finding the desired flowers and the congregation of the whole family to assemble the exquisite set of scents and colors.

La arquitectura del Eje Cafetero se engalana con balcones de madera siempre adornados con plantas y macetas de flores. En una casa típica de esta región de Colombia, las hamacas invitan al reposo. Muchas de estas casas han sido restauradas y equipadas con todas las comodidades hoteleras para acoger hoy a visitantes de todo el mundo, quienes buscan refugio en comunión con la naturaleza.

Carolina del Príncipe, poblado antioqueño de arrieros y artesanos.

The architecture of the Coffee Belt is adorned with wooden balconies always decorated with plants and flowerpots. In a typical house of this region in Colombia, hammocks are an invitation to rest for the weary. Many of these homes have been renovated and equipped with modern hotel amenities to welcome visitors from all around the world who seek refuge in the connection with nature.

Carolina del Príncipe, a village of arrieros and artisans in Antioquia.

Las "chivas" o buses de escalera, un medio tradicional de transporte público intermunicipal utilizado hasta finales del siglo XX en las zonas rurales en Colombia, e incluso aún quedan vestigios de la costumbre. A la hora de iniciar el viaje, los campesinos se suben al techo de estos vehículos, que tienen la carrocería completamente abierta por los costados, mientras en su interior se depositan bultos de alimentos, animales y productos agrícolas. En el marco de la Feria de las Flores se hace remembranza a este medio de transporte y comercio, mediante un evento especial. Jardín es un típico pueblo antioqueño de clima templado, con una imponente iglesia construida en piedra. Se caracteriza por su topografía montañosa, exuberante vegetación y abundancia de ríos y quebradas. La más pura esencia de la antioqueñidad se ve reflejada en estos campesinos de sombrero, poncho y carriel.

The "chivas" or ladder buses are a traditional means of intercity transportation used until the end of the 20th century in the rural areas of Colombia, some vestiges of which still remain. At the start of the journey, the peasants climb to the roof of these vehicles, which bodywork is completely open on the sides, and place the packages of food, animals and agricultural products inside. The Festival of Flowers pays homage to these means of transportation and trade with a special event. Jardín is a typical town of Antioquia, with temperate climate and an imposing church built in stone.
It is characterized by mountainous topography, lush vegetation and an abundance of rivers and streams. The purest essence of the nature of Antioquia is reflected by these peasants wearing hats, ponchos and carrieles.

Armenia, Manizales, Pereira, son cuna de gente emprendedora y especialmente afectiva. Ese rasgo ha generado una infraestructura hotelera y vacacional que en el último tiempo viene cobrando lugares como una de las más visitadas por turistas nacionales y extranjeros. Son ciudades del Viejo Caldas, que se fundaron en territorio de los mejores orfebres de las culturas prehispánicas y establecieron los pueblos iniciadores del cultivo del café, el mejor del mundo: Carmen de Vivoral, Amalfi , Anori, Andes, Jardín, Puerto Berrío, Betania y Venecia.

Armenia, Manizales and Pereira are home to hardworking and particularly affectionate people. This feature has generated an important hotel and resort infrastructure in recent times that has been gaining places as one of the most visited by domestic and foreign tourists. They are cities of the Old Caldas, which were founded in the territory of the best goldsmiths of the Hispanic cultures and established the villages that started the cultivation of the best coffee in the world: Carmen de Vivoral, Amalfi, Anori, Andes, Jardín, Puerto Berrío, Betania and Venecia.

La Catedral de Manizales es el principal símbolo de la ciudad. Fue diseñada por el arquitecto francés Julien Polty entre 1927 y 1928, después del incendio de la ciudad en 1926, siguiendo una propuesta neogótica. Su construcción se realizó entre los años 1929 y 1939 utilizando como material "cemento armado". Se considera una obra maestra de la arquitectura colombiana en concreto.

Manizales, caracterizada por su elegancia y señorío, nació en el cruce de caminos que conducían a Antioquia, Cuca, Cundinamarca y Tolima y se desarrolló a partir de la actividad comercial. En enero se celebra la Feria de Manizales, famosa por sus corridas de toros y por el Reinado Internacional del Café.

The Cathedral of Manizales is the main symbol of the city. It was designed by the French architect Julien Polty between 1927 and 1928, based on a neo-gothic proposal, after the great fire of 1926. It was built between 1929 and 1939 using as materials such as "reinforced concrete", and it is considered as a one of Colombia's concrete architectural masterpieces.

Manizales, characterized by its elegance and sophistication, was born at the junction of roads leading to Antioquia, Cuca, Cundinamarca and Tolima, and developed thanks to trade. The Fair of Manizales is held in January and it is famous for its bullfights and the International Coffee Pageant.

Ésta, y cientos de especies distintas al pavorreal macho, coexisten en los numerosos zoológicos de la región. Por su parte, el café colombiano, el más suave del mundo, constituye un renglón significativo de las exportaciones de Colombia.

El Parque Nacional de la Cultura Agropecuaria (Panaca) ubicado en Quimbaya y el Parque Nacional del Café son dos de los principales atractivos turísticos del departamento de Quindío. El primero es un parque temático agropecuario con ocho estaciones y más de 4.500 animales donde cualquier visitante puede divertirse aprendiendo y participando de las actividades del campo. El segundo cumple la misión de conservar para la memoria todo lo que implica la cultura del café. Es un espacio a cielo abierto lleno de cafetales, donde se recogieran los secretos de la industria cafetera, sus historias y la arquitectura de la región.

This, and hundreds of species other than the male peacock coexist in many zoos in the region. On the other hand, Colombian coffee, the mildest in the world, is a significant part of Colombia's exports.

The National Agricultural Culture Park (Panaca), located in Quimbaya, and the National Coffee Park are two of the main tourist attractions of the province of Quindío. The first is an agricultural theme park with eight stations and over 4,500 animals, where any visitor can have fun learning and participating in outdoor activities. The second accomplishes the mission of preserving the memory of everything related to the coffee culture. It is located in an open space full of coffee plantations guarding the secrets of the coffee industry, its stories and the architecture of the region.

TOYOTA
Caldas Motor
ARUBA
ARGENTINA
ALEMANIA

MEDELLÍN

Medellín ha sido siempre una pujante ciudad industrial, cuyos administradores han sabido posicionar su imagen en los mercados del mundo entero. La construcción del Museo de Antioquia fue auspiciada por el municipio de Medellín. El pintor y escultor antioqueño Fernando Botero siguió paso a paso los trabajos-que convirtieron el antiguo Palacio Municipal en museo, y le entregó al mismo una importante donación de obras de su autoría. A la derecha aparece el edificio Coltejer, todo un símbolo de la industria textil que desde allí se impone en las pasarelas más reconocidas mundialmente.

Medellín has always been a thriving industrial city, whose administrators have managed to position its image in markets worldwide. The construction of the Museum of Antioquia was sponsored by the municipality of Medellín. Local painter and sculptor Fernando Botero closely followed the works that transformed the old Municipal Palace into a museum, and donated an important number of his works for the new museum. To the right, the Coltejer Building, a symbol of the apparel industry that stands out in the most important runways in the world.

Históricamente, Medellín ha sido en Colombia una ciudad industrial, que desde hace una década cuenta con un Metro como sistema de transporte masivo. La línea A del Metro recorre el Valle de Aburrá de sur a norte; a ella se conecta la B, que se dirige al occidente, la K, o metrocable, es un corredor aéreo que presta servicio a gran cantidad de la población de escasos recursos que habita en las zonas marginales. El Monumento a la Raza, del escultor antioqueño Rodrigo Arenas Betancur, se yergue en el Centro Administrativo La Alpujarra, en Medellín. En la plazoleta central del Centro Suramericana se encuentra el Monumento a la Vida, escultura también realizada por Rodrigo Arenas Betancur en los años 70.

Historically, Medellín was always an industrial city and has had the Metro as a mass transportation system for the last decade. The A line of the Metro runs through the Valley of Aburrá from south to north, connecting to the B line, which runs west, the K line, or the Metrocable, an air corridor that serves the poorest population living in marginal areas. The Monumento a la Raza (Monument to Race), by sculptor Rodrigo Arenas Betancur, stands in La Alpujarra Administrative Center in Medellín. The Monumento a la Vida (Monument to Life), another sculpture by Rodrigo Arenas Betancur made in the 70s, stands in the central square of the Suramericana Center.

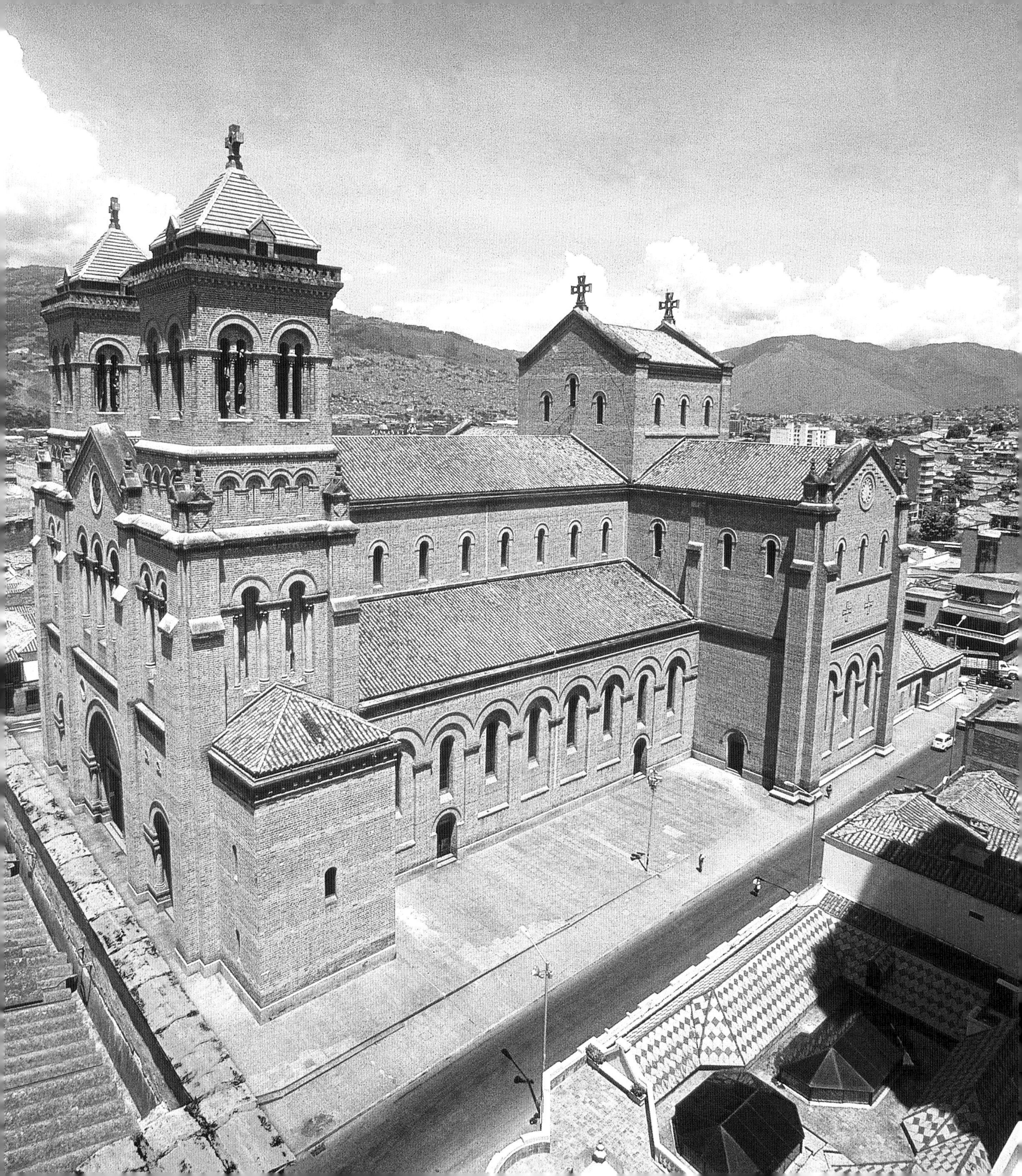

Pág. anterior. Iniciada en 1875 por el arquitecto Felipe Crosti y concluida en 1931, la Catedral Metropolitana de Medellín, de estilo románico, es la estructura de barro cocido más grande del mundo, con cerca de 1'200.000 bloques. Posee valiosísimas obras de arte.
El edificio del Ferrocarril de Antioquia, en Medellín, fue un proyecto de construcción encomendado al cubano Francisco Javier Cisneros.

Este suntuoso edificio de estilo republicano data de 1925. Como ésta, todas las calles de la 'capital de la montaña' se llenan de color y aroma durante el conocido Desfi le de los Silleteros, que tiene lugar en Medellín, capital de Antioquia. El desfi le de las flores es una exposición de arte, sensibilidad, estética y autenticidad propia de los campesinos de la región.

La 'Orquideorama' es el núcleo del Jardín Botánico de Medellín, que espera convertirse en el más importante de América Latina. Estructuras de vanguardia pululan en la 'Capital de la Montaña'.

Previous page. The Metropolitan Cathedral of Medellín, which began construction in 1875 under the direction of architect Felipe Crosti and was completed in 1931, is the largest clay structure in the world, with almost 1,200,000 blocks. It keeps valuable artworks inside.

The Antioquia Railroad Building, in Medellín, was a construction project commissioned to Cuban architect Francisco Javier Cisneros.

This magnificent building, built in the Republican style, dates from 1925. All streets of the "Capital of the Mountain" are filled with bright colors and aromas during the famous Silleteros Parade, which takes place in Medellín, the capital of Antioquia. The flower parade is a display of the art, sensitivity, beauty and authenticity of the peasants of the region.

The Orquideorama is the heart of the Medellín Botanical Garden, which hopes to become the most important in Latin America. Avant-garde structures are found everywhere in the "Capital of the Mountain".

El Estadio Atanasio Girardot de Medellín, con capacidad para albergar 53 mil espectadores, fue inaugurado en 1953. Allí juegan sus partidos como locales el Atlético Nacional y el Deportivo Independiente Medellín, los dos equipos profesionales de fútbol de la ciudad. Otros espacios deportivos de la ciudad son el Coliseo de baloncesto Iván de Bedouth, el Coliseo de Voleibol, el Estadio de Atletismo, el Diamante de Béisbol, y algunos más. La ciudad está anclada sobre el Valle de Aburrá, a 1.475 msnm. Siete cerros abrazan la ciudad en la que convergen edificios de mucha propuesta arquitectónica, algunos restaurados, otros imponen la modernidad en esta la ciudad industrial.

The Atanasio Girardot Stadium in Medellín, with a capacity for 53,000 spectators, opened in 1953. Atlético Nacional and Deportivo Independiente Medellín, the two local professional soccer teams, play their home matches there. Other sports facilities in the city are the Iván de Bedouth basketball coliseum, the volleyball coliseum, the track and field stadium and the baseball diamond, among others. The city is anchored on the Valley of Aburrá, at 1,475 meters above sea level. Seven hills embrace the city where buildings with interesting architectural proposals converge, some of which have been restored, and others that impose their modernity upon this industrial city.

La Plaza de Luz, una propuesta de diseño ecléctico y futurista, enmarca una de las 15 esculturas del maestro Arenas Betancur, en la que rinde homenaje a la raza arriera antioqueña. La Plaza de Luz, situada a un costado de la Biblioteca de las Empresas Públicas y frente a los bellamente restaurados edifi cios Vásquez y Carré, representa un bosque luminoso, elaborado con astas de 24 metros de altura, con mezcla de guadua y canales de agua.

Luz Square, a proposal of eclectic and futuristic design, frames one of the 15 sculptures of master Arenas Betancur, which pays tribute to the arriero race of Antioquia. Luz Square, located next to the Library of Empresas Públicas de Medellín and facing the beautifully restored Vásquez and Carré buildings, represents a luminous forest, made with 24-meter shafts, with a combination of bamboo and water channels.

23 esculturas de bronce, del maestro antioqueño Fernando Botero engalanan la Plaza Botero, un museo-jardín inaugurado en el 2002. La Plaza está ubicada frente al Museo de Antioquia, diseño del arquitecto belga Agustín Goovaerts, inspirado en el art nouveau. Hasta 1987 funcionó la Gobernación de Antioquia. Hoy se llama Palacio de la Cultura, Rafael Uribe Uribe; es sede del archivo histórico de Antioquia y escenarios de certámenes culturales. El Museo de Antioquia cuenta con más de 8.000 piezas entre esculturas y pinturas. Otras esculturas monumentales como estas, se hallan en diferentes parques, como la del Pájaro Herido que es un testimonio de la época de violencia vivida por los antioqueños durante la década de 1990.

23 bronze sculptures, by the master Fernando Botero, adorn Botero Square, a garden museum that opened in 2002. The Square is located opposite to the Museum of Antioquia, a design of Belgian architect Agustín Goovaerts, inspired by art nouveau. The Government of Antioquia occupied the building until 1987, when it became the Palace of Culture Rafael Uribe Uribe, the home of the historical archive of Antioquia and the scenario of cultural events. The Museum of Antioquia has over 8,000 pieces including sculptures and paintings. Other monumental sculptures like these are found at different parks, such as the Pájaro Herido (Wounded Bird), a testament to the era of violence experienced by Antioquia during the 1990s.

El barrio El Poblado siempre ha merecido gran prestigio por su calidad arquitectónica, pero en el último tiempo ha cedido el paso a enormes construcciones postmodernas que son sede de oficinas y elegantes residencias. Por su parte, la Avenida Oriental cruza de sur a norte el centro de la ciudad. Las pirámides al estilo Gaudí, que se levantan en los separadores viales fueron inspiradas en el toque artístico y estético que toda ciudad cosmopolita debe tener incorporado en sus espacios, para bien de la armonía y distinción de vías de alto flujo vehicular.

The El Poblado neighborhood has always been renowned for its architectural quality, but in recent times it has given way to huge postmodern buildings hosting offices and elegant residences. Meanwhile, Avenida Oriental crosses the city center from south to north. The pyramids in the Gaudí style standing in the road dividers were inspired by the artistic and aesthetic touch that any cosmopolitan city should incorporate, for the sake of the harmony and distinction of high-traffic highways.

Región Pacífica

Pacific Region

El litoral pacífico colombiano tiene una longitud de 1.300 km, que se extienden desde los límites con Panamá, al norte, hasta los límites con Ecuador, al sur, y comprende las zonas costeras de los departamentos del Valle, Cauca y Nariño, y el departamento del Chocó. Se lo considera una de las regiones del mundo con mayor densidad de formas de vida (en flora y fauna) por kilómetro cuadrado.

Ladrilleros es una de las playas más bellas y concurridas del Pacífico colombiano. Se sitúa en cercanías del puerto de Buenaventura.

The Colombian Pacific coast has a length of 1,300 km, extending from the border with Panama up north to the border with Ecuador down south, and includes the coastal areas of the provinces of Valle, Cauca and Nariño, and the province of Chocó. It is considered one of the regions with highest density of life forms (flora and fauna) per square kilometer.

Ladrilleros is one of the most beautiful and popular beaches of the Colombian Pacific, located in the vicinity of the port of Buenaventura.

Desde el aire sólo se ven enormes extensiones de selva húmeda tropical cubiertas por nubes cargadas de lluvia hasta la línea costera. Nos encontramos en el Chocó biogeográfico, uno de los parajes más exóticos del planeta.

La región del Pacífico se encuentra ubicada al occidente de Colombia, y está dividida en dos grandes zonas que se extienden a lado y lado del cabo Corrientes. Se extiende por el norte, entre idílicas y solitarias playas de arena oscura, hasta la frontera con Panamá, y en sentido sur, entre manglares y acantilados, hasta la frontera con Ecuador. Está limitada en el oriente por la cordillera Occidental de los Andes colombianos, y su costa sobre el océano Pacífico, del cual deriva su nombre, se conserva virgen y agreste.

Es una región con una inmensa riqueza ecológica, hidrográfica, minera y forestal, y se ha considerado establecer, para la conservación de sus ecosistemas, parques nacionales naturales, ya que constituye una de las regiones de mayor biodiversidad y pluviosidad del planeta, con precipitaciones del orden de los 4.000 mm anuales.

El Pacífico es también la tierra principal de la cultura afrocolombiana y de numerosas tribus indígenas de las etnias Wounan, Emberá y Cuna, mal denominadas "chocoes" por los españoles durante la Conquista, que han sobrevivido hasta nuestros días gracias a su conocimiento ancestral de la selva.

Este litoral abre para Colombia los horizontes del océano más grande del mundo, y permite explotar un campo de encuentro internacional privilegiado vital para su desarrollo.

Por el puerto de Buenaventura, en el departamento del Valle del Cauca, sale aproximadamente el 80% de nuestras exportaciones de café y más de la mitad de nuestras exportaciones totales.

La región, que se enriquece con las islas de Gorgona, Gorgonilla y Malpelo, constituye un destino ideal para los amantes del ecoturismo, el buceo y la pesca deportiva. También se practica el avistamiento de ballenas jorobadas o yubartas, que visitan el litoral hacia el mes de agosto. Nuquí, Quibdó y Bahía Solano cuentan con suficientes recursos para acoger amantes del ecoturismo provenientes de todo el mundo.

Only vast extensions of tropical rainforest covered by rain clouds up the coastline can be seen from the air. We are in the biogeographic Chocó, one of the most exotic places on the planet.

The Pacific region is located to the west of Colombia, and is divided into two main areas extending on both sides of Cape Corrientes. It extends from the north, between the idyllic and secluded black sand beaches as far as the border with Panama, and in the southern direction, between mangroves and cliffs, to the border with Ecuador. It is bounded to the east by the Western Mountain Range of the Colombian Andes and its coast on the Pacific Ocean, from which it derives its name, still preserves its virgin wilderness.

It is a region with a vast ecological, hydrographic, mining and forest wealth, due to which the establishment of national parks is being considered to preserve its ecosystems, given that it is one of the regions with the most biodiversity and rainfall on Earth, equivalent to 4,000 mm per year.

The Pacific is also the home of the Afro-Colombian culture and numerous indigenous tribes of the Wounan, Emberá and Cuna ethnicities, misnamed "chocoes" by the Spanish during the Conquest, which have survived to this day thanks to their ancestral knowledge the jungle.

This coast has opened the horizons of the world 's largest ocean for Colombia, allowing it to exploit a privileged field of international convergence vital for its development.

About 80% of our coffee exports and more than half of our total exports pass through the port of Buenaventura, in the province of Valle del Cauca.

The region, which is enriched with the islands of Gorgona, Gorgonilla and Malpelo, is an ideal place for the lovers of ecotourism, diving and sport fishing, and well as for observing the humpback whales that visit the coast in August. Nuquí, Quibdó and Bahía Solano have sufficient resources to host ecotourism lovers from around the world.

El coco es un ingrediente versátil de las gastronomías costeña e insular. De él no sólo se obtiene copra, sino también leche y aceite.

Guapi es un municipio costero sobre el río Guapi, al suroccidente del departamento del Cauca, que bordea la vertiente del Pacífico colombiano. Un renglón prioritario en su economía lo ocupa la pesca con una gran variedad de pescados, moluscos (piangua, almeja, chorga), y crustáceos, como el camarón.

Otras actividades se relacionan con el sector primario, como la agricultura del coco, el maíz, el chontaduro, el arroz, papachina, además de otros cultivos del pancoger familiar.

Coconut is a versatile ingredient in coastal and island cuisines, from which copra, in addition to milk and oil, are obtained.

Guapi is a coastal town on the Guapi River in the southwestern region of the province of Cauca, bordering the Pacific watershed of Colombia. One of the main components of its economy is fishing, with an important variety of fish, mollusks (piangua, clam, chorga) and crustaceans such as shrimp.

Other activities are related to the primary sector, including the growing of crops such as coconut, corn, peach palm, rice, papachina, among others.

CALI

Teatro Municipal de Cali, notable ejemplo de neoclasicismo arquitectónico criollo, comenzó a construirse en 1918, según diseño de los arquitectos Rafael Borrero Vergara y Francisco Ospina. Fue inaugurado en 1927. En el año 1987, para la conmemoración de los 60 años del teatro se realizaron obras de ampliación.
En una esquina de la tradicional Plaza de Caycedo de Cali se levanta el Palacio Municipal, de estilo neoclásico francés, donde se preserva el Archivo Histórico de la ciudad.

The Municipal Theatre of Cali is a remarkable example of American neoclassic architecture that began construction in 1918, according to the designs of architects Rafael Borrero and Francisco Vergara Ospina, and opened its doors in 1927. The Theatre was expanded in 1987 to commemorate its 60th anniversary.

The Municipal Palace, built in the French neoclassic style, stands in one corner of the traditional Caycedo Square and is home to the city's Historical Archive.

Erigida en Cali hacia 1575, sobre orillas del río que cruza la ciudad, como una capilla modesta y sin valor arquitectónico, La Ermita fue consagrada a la veneración de Nuestra Señora de los Dolores y de un óleo del Cristo de la Caña. Desde entonces ha sufrido sucesivas remodelaciones, que la han convertido en uno de los símbolos de la ciudad.

Pág. siguiente. La biodiversidad de la región se acentúa en el tema de los animales: el águila arpía es un ave rapaz nocturna que se alimenta principalmente de roedores e insectos. Estas vistosas aves crestadas ofrecen un espectáculo a quienes tienen la fortuna de observarlas. Con su tocado, la gallineta es un ave doméstica y ornamental común en las fincas y haciendas tradicionales de la región. El oso de anteojos es la única especie de osos originaria de América del Sur. Vive en los bosques de páramo, a más de 3.000 metros de altura. Es vegetariano, aunque a veces come algún roedor. El gallito de roca, de cañadas húmedas y profundas. En el país existen serpentarios donde se extraen los venenos y se preparan sueros antiofídicos para salvar vidas humanas. La danta o tapir es un mamífero robusto.

Erected in Cali in 1575, on the banks of the river that crosses the city as a modest chapel without any architectural value, La Ermita was devoted to the veneration of Our Lady of Sorrows and an oil painting of the Christ of the Cane. Since then, it has undergone successive renovations and has become a symbol of the city.

Next page. The biodiversity of the region is emphasized with respect to animals: the harpy eagle is a nocturnal bird of prey that feeds mainly on rodents and insects. These magnificent crested birds offer a show to anyone who is lucky enough to observe. With its headdress, the moorhen is a common household and ornamental bird found at the farms and at the traditional haciendas of the region. The spectacled bear is the only bear species native to South America. It lives at the forests of the moor region, over 3,000 meters above sea level, and it is usually vegetarian, although it might eat rodents sometimes. The Andean Cock-of-the-rock, in humid and deep ravines. The country has serpentariums where poisons are extracted and antidotes are prepared to save lives. The tapir is a sturdy mammal.

La mayor parte de la población indígena del país se encuentra concentrada en el departamento del Cauca, y uno de sus municipios con mayor presencia indígena, sobrepasando el 50% de su población total es San Sebastián, uno de los seis resguardos de la comunidad Yanacona en el Macizo colombiano, descendiente de indígenas peruanos, y que, a diferencia de otras comunidades, hoy sólo habla español.

Los indígenas guambianos pueblan las laderas occidentales de la Cordillera Central, al nororiente del departamento del Cauca. Su idioma hace parte de la familia lingüística chibcha, y lo hablan unas doce mil personas. Los guambianos son un pueblo tradicionalmente agrícola. Uno de los rasgos más sobresalientes de la cultura guambiana es su capacidad para preservar su supervivencia étnica.

Most of the indigenous population is concentrated in the province of Cauca, and one of the municipalities with the largest indigenous community, exceeding 50% of its total population, is San Sebastián, one of the six reserves of the Yanacona community in the Colombian Massif, descendants of Peruvian indigenous peoples that currently only speak Spanish, unlike other communities.

The Guambiano people populate the western slopes of the Central Mountain Range, in the northeastern region of the province of Cauca. Their language is part of the Chibcha language family, and is spoken by about twelve thousand people. The Guambianos are a traditionally agricultural people. One of the most striking features of Guambiano culture is its ability to preserve their ethnic survival.

ORINOQUÍA

Pág. anterior. Río Atabapo, en el Orinoco. Lugar de encuentro para deportistas y naturalistas.

Durante las fiestas tradicionales, que tienen lugar en todos los Llanos Orientales, toreros espontáneos lidian furiosas vaquillas y tientan a la muerte en un peligroso ritual de valentía y coraje. Las cuadrillas de San Martín, en el Meta, son una muestra folclórica de esto.

Previous page. Atabapo River in the Orinoco region. A meeting place for sport aficionados and naturalists.

During traditional festivals, which take place across the Eastern Plains, spontaneous bullfighters fight against angry heifers and tempt death in a dangerous ritual of bravery and courage. The crews of San Martín, Meta, are one folkloric example of this.

La Orinoquía, o como también se llama a la región, los Llanos Orientales, corresponde a la parte norte de las llanuras ubicadas en el este de Colombia. Sus gentes, que desempeñó un papel determinante en la Independencia colombiana y venezolana, se identifica con la figura del llanero, quien para la imaginación popular es un centauro. La cuenca hidrográfica del río Orinoco, que nace en la selva amazónica venezolana, se extiende desde los Andes hasta las selvas amazónicas. Los Llanos tienen una vegetación de estepas inundables y bosques de galería. Sus subregiones naturales son el Piedemonte Llanero, las llanuras del Meta, las del Guaviare, los pantanos del Arauca y la Serranía de la Macarena.

La economía llanera se basa en la ganadería extensiva y en la extracción de petróleo. En Arauca se encuentra Caño Limón, uno de nuestros principales yacimientos petrolíferos, y en el piedemonte casanarense los campos de Cusiana. Hay diversos proyectos agrícolas y otros energéticos basados en la energía eólica (Gaviotas), pero la ganadería domina la economía llanera.

Las principales ciudades de los Llanos Orientales son Villavicencio, capital de Meta; Yopal, capital del Casanare; Arauca, capital de Arauca; San José del Guaviare, capital de Guaviare; Puerto López, municipio de Meta; Tame, en Arauca; Aguazul y Orocué, en Casanare; Puerto Carreño, capital de Vichada, y Puerto Inírida, capital de Guainía.

El llanero es el vaquero por excelencia de Colombia, dada la inmensidad de las llanuras que permiten criar el mejor ganado del país. Su música, el joropo, nos une a la nación hermana de Venezuela. Aire predominante de la región, se toca con arpa, instrumento introducido por los misioneros jesuitas que evangelizaron estas tierras, cuatro y capachos, y constituye tanto una trova como un baile.

La Orinoquía es también el hogar de varias comunidades indígenas, entre las que se cuentan los achaguas, los amorúas, los betoyes, los chiricoas, los kuibas, los guayaberos, los hitnus, los masiguares, los piapocos, los sálibas, los sikuanis y los tsiripus, quienes subsisten a pesar de las múltiples dificultades que les impone la colonización.

The Orinoco, or the Llanos Orientales (Eastern Plains) as it is also known, corresponds to the northern part of the plains located in eastern Colombia. Its people, who played a key role in the Colombian and Venezuelan Independence, are identified with the figure of the llanero, a centaur for the popular imagination. The hydrographic basin of the Orinoco River, which originates in the Venezuelan Amazon, extends from the Andes to the Amazon rainforest. The Plains have floodable steppe vegetation and gallery forests. Its natural sub-regions are the Llanero Piedmont, the plains of Meta, the plains of Guaviare, the swamps of Arauca and the Serranía de la Macarena.

The region's economy is based on extensive livestock farming and oil extraction. Caño Limón, located in Arauca, is one of our major oil fields, and the Cusiana fields are located at the piedmonts of Casanare. There are several agricultural projects and other energy projects based on wind energy (windmills); however, livestock farming still prevails over the economy across the plains.

The most important cities of the Eastern Plains are Villavicencio, the capital of Meta; Yopal, the capital of Casanare; Arauca, the capital of Arauca; San José del Guaviare, the capital of Guaviare, Puerto López, an important municipality in Meta; Tame, in Arauca; Aguazul and Orocué, in Casanare; Puerto Carreño, the capital of Vichada, and Puerto Inírida, the capital of Guainía.

The llanero is the quintessential cowboy of Colombia, given the vastness of the plains that allow raising the best cattle in the country. Their music, the joropo, connects us with our sister nation of Venezuela. The joropo resonates all across the region and is played with the harp, an instrument introduced by Jesuit missionaries who evangelized these lands, the cuatro and the capacho, and is both a ballad and a dance.

The Orinoquía is also home to several indigenous communities, including the Achagua, the Amorúa, the Betoye, the Chiricoa, the Kuiba, the Guayabero, the Hitnu, the Masiguare, the Piapoco, the Sáliba, the Sikuani and the Tsiripu, who persist despite the many difficulties imposed by colonization.

El llanero es el vaquero por excelencia de Colombia, dedicado con tesón a la crianza de ganado, dada la inmensidad de las llanuras orientales colombianas (más de 250.000 km2), que permite criar el mejor ganado del país.

Entre las razas de ganado comunes en los Llanos sobresale el ganado cebú, muy adaptado al trópico, el criollo casanare y el criollo sanmartinero.

Villavicencio, la principal ciudad de la Orinoquía Colombiana, llamada la 'Puerta del Llano' se comunica con el país por una autopista considerada una de las mejores obras de ingeniería del país. Los oriundos de allí, como en general de la región, son de carácter libre, que reflejan en todas las manifestaciones de su idiosincrasia.

The llanero is the quintessential cowboy of Colombia, tenaciously dedicated to raising cattle given the vastness of the Colombian eastern plains (250,000 km2), which allows raising the best cattle in the country.

The zebu cattle, quite adapted to life in the tropics, and the Casanare criollo and the sanmartinero criollo are some of the common breeds of cattle at the Plains.

Villavicencio, the main city of the Colombian Orinoquía region, known as the "Gate into the Plains', communicates with the rest of the country through a highway considered to be one of the finest engineering works ever built in Colombia. The natives there, as in general in the region, believe in freedom, which is reflected in all manifestations of their idiosyncrasy.

Monumento "Las Arpas" escultura moderna en la ciudad de Villavicencio.

Monument "Las Arpas" modern sculpture in the city of Villavicencio.

Los Llanos Orientales hacen parte de la Orinoquía de Colombia, y son una inmensa sabana –que se extiende por los departamentos de Arauca, Casanare, Guainía, Guaviare, Meta y Vichada – bañada por caudalosos ríos. Los mayores de ellos – Arauca, Casanare, Meta, Tomo, Vichada, Guaviare, Inírida y sus numerosos afluentes –, pertenecen a la vertiente del Orinoco. El río Meta es el más importante de los Llanos Orientales colombianos, con un total de 1.200 km de longitud y una navegabilidad de 900 km desde Puerto López, por lo que es de gran utilidad para el comercio de esta extensa región.

The Eastern Plains are part of the Orinoquía region in Colombia and are comprised of an immense savannah spanning the provinces of Arauca, Casanare, Guainía, Guaviare, Meta and Vichada – washed by powerful rivers. The largest among them, the Arauca, Casanare, Meta, Tomo, Vichada and Guaviare Rivers – and the Inírida River and its many tributaries – belong to the watershed of the Orinoco. The Meta River is the most important river for the Colombian Eastern Plains, with a total length of 1,200 km, and a navigability of 900 km from Puerto López, making it useful for trade in this vast region.

Amazonía

Pág. anterior. El mimbre y el chiqui chiqui son dos variedades de fibra forestal con las que la población femenina indígena de la región Amazónica fabrica productos artesanales. Usualmente elaboran con la fibra, las escobas y los canastos. La combinación del barro con la fibra de chiqui-chiqui, que es uno de los materiales más representativos de la región, logró una identidad artesanal única del departamento. Algunos entierros cuentan con ajuares funerarios muy importantes entre los que destacan objetos asociados con actividades rituales, pero así mismo gran cantidad de piezas de gran valor arqueológico han sido halladas en toda la región.

Previous page. Wicker and chiqui-chiqui are two varieties of forest fiber with which the indigenous female population of the Amazon region produces handicrafts, usually comprised of brooms and baskets. The combination of clay with chiqui-chiqui fiber, which is one of the most representative materials from the region, manages to craft a unique identity for the province. Some burials have very important grave goods, such as objects associated with ritual activities, as well as many pieces of great archaeological value that have been found throughout the region.

La región amazónica de Colombia es la zona menos poblada de nuestro país, aunque comprende el 29% del territorio nacional. Hace parte de la gran región suramericana del Amazonas, la mayor zona selvática del mundo, compartida con Venezuela, Brasil, Ecuador, Perú y Bolivia. Está enmarcada al occidente por la cordillera de los Andes y se extiende hacia el oriente hasta los límites con Brasil y Venezuela. De norte a sur se prolonga desde el río Guaviare hasta los ríos Putumayo y Amazonas. Comprende los departamentos de Putumayo, Caquetá, Guaviare, Vaupés, Guainía y Amazonas, y se divide geográficamente en las subregiones del piedemonte amazónico, las llanuras del Caquetá, Inírida, Guaviare y Putumayo, la Amazonía meridional, la serranía de Chibiriquete y el Trapecio Amazónico, todas con un invaluable potencial ecológico y científico. Se trata, sin lugar a dudas, de la región de Colombia donde mejor se conservan los pueblos aborígenes, lo que constituye un factor de gran riqueza cultural. Su folclor y todas sus manifestaciones culturales se relacionan con la vida cotidiana de estas etnias indígenas, aunque la presencia de colonos llegados del interior, así como de Brasil, Perú, Venezuela y Ecuador, contribuye a este panorama de diversidad. No obstante su baja densidad poblacional, la región cuenta con signifi cativos núcleos urbanos como Florencia, Leticia, Mocoa, Puerto Asís, San Vicente del Caguán, Mitú y Puerto Leguízamo. El Estado colombiano protege su enorme riqueza ecológica, y por ello ha establecido en la región los Parques Nacionales Naturales Amacayacu, Cahuinari, Chiribiquete, LaPaya, Tinigua, Río Puré, Nukak, Puinawaie Indi Wasi. Leticia, capital del departamento de Amazonas a orillas del río más caudaloso del mundo, posee una buena oferta hotelera. El Parque Nacional Natural Amacayacu cuenta con una excelente infraestructura turística que atrae viajeros provenientes de todo el mundo, ya que en su territorio se practican diversas modalidades de ecoturismo, y en las aguas de sus ríos y caños es posible admirar los prodigiosos delfines rosados de la Amazonía.

The Amazon region of the Colombia is the least populated area of our country even though it comprises 29% of the national territory. It is part of the great South American Amazon region, the largest jungle in the world, shared with Venezuela, Brazil, Ecuador, Peru and Bolivia. It is delimited by the Andes to the west and extends eastward to the borders of Brazil and Venezuela. From north to south it extends from the Guaviare River to the Putumayo and Amazon Rivers. It includes the provinces of Putumayo, Caquetá, Guaviare, Vaupés, Guainía and Amazonas, and is divided into the subregions of the Amazon Piedmont, the Plains of Caquetá, Inírida, Guaviare and Putumayo, the southern Amazon, the Mountains of Chiribiquete and the Amazonian Trapeze, all with an invaluable ecological and scientific potential. This is, without doubt, the Colombian region where the aboriginal peoples are best preserved, which constitutes a factor of great cultural wealth. Its folklore and all its cultural manifestations are related to the daily life of these indigenous groups, although the presence of settlers from the interior, as well as from Brazil, Peru, Venezuela and Ecuador, contributes to this picture of diversity. Despite its low population density, the region has important cities such as Florencia, Leticia, Mocoa, Puerto Asís, San Vicente, Mitú and Puerto Leguízamo. The Colombian state protects its significant ecological wealth, and has therefore established the following National Parks in the region: Amacayacu, Cahuinari, Chiribiquete, LaPaya, Tinigua, Río Puré, Nukak, and Puinawaie Indi Wasi. Leticia, capital of the province of Amazonas, located on shores of the widest river in the world, has a good selection of hotels. The Amacayacu National Park has an excellent infrastructure that attracts travelers from around the world, given that several forms of ecotourism are practiced in its territory. The prodigious pink dolphins of the Amazon can be seen in the waters of its rivers and streams.

La región amazónica colombiana está habitada por numerosas comunidades nativas. Entre ellas, los andoquíes, ticunas, yaguas y huitotos. La diversidad cultural que se manifi esta entre los grupos indígenas en Colombia es muy amplia; sus visiones de lo que es el mundo, la vida, el papel del ser humano en éste, sus rituales, hacen parte de un invaluable patrimonio intangible, representativo de la infinita creatividad del hombre en su adaptación al medio ambiente.

Los yaguas o los embera sólo son dos de las comunidades que en Colombia evidencian no sólo la maleabilidad del hombre al ecosistema sino el desenvolvimiento cultural necesitando una educación bi-étnica, en la que sus saberes y creencias puedan ser transmitidos e interactuados con otras sociedades.

Many indigenous communities inhabit the Colombian Amazon region, such as the Andaquí, the Ticuna, the Yagua and the Huitoto. The cultural diversity of the indigenous groups in Colombia is very broad; their visions of the world, life, the role of humans in it and their rituals, are part of an invaluable intangible heritage, representative of the infinite creativity of man in his adaptation to the environment.

The Yagua or the Emberá are only two of the communities that prove the malleability of man with respect to the ecosystem and the cultural development that requires a bi-ethnic education in which their knowledge and beliefs can be transmitted and interacted with other societies.

El río Amazonas es el más caudaloso del mundo; 115 km de su cauce constituyen la frontera del país en su extremo sur, en cuya esquina se encuentra Leticia, capital del departamento del Amazonas y principal ciudad de la Amazonía colombiana. Esta región ha sido llamada el pulmón del planeta, debido a la exuberancia de su selva virgen, tan densa que en muchas partes impiden que penetren los rayos del sol.

Leticia, la capital del departamento y puerto sobre el río Amazonas, fue fundada en 1867 por el capitán peruano, Benigno Bustamante. Últimamente, en Leticia, grupos de científicos y ambientalistas han canalizado su interés en las posibilidades de investigación y tecnologías apropiadas para la región, con el propósito de construir el modelo de desarrollo económico.

The Amazon River is the widest river in the world; 115 km of its course constitute the country's border at its southern end, in whose corner is Leticia, the capital of the province of Amazonas and largest city of the Colombian Amazon. This region has been called the lung of the planet due to its exuberant virgin jungle, so dense that in many parts it prevents sunlight from penetrating. Leticia, the capital of the province and port on the Amazon River, was founded in 1867 by the Peruvian captain Benigno Bustamante.

Scientists and environmental groups have recently channeled their interest in research opportunities and technologies appropriate for the region, with the purpose of building a model of economic development.

El turismo ecológico se ha desplazado con fuerza hacia toda la región del Amazonas, donde se ha posicionado con mucho éxito una infraestructura hotelera digna de ese Paraíso Terrenal, sin más, que es el Amazonas. Los grupos ambientalistas, recreacionistas, turísticos, deportivos vienen aumentando su presencia en la zona de Leticia y sus inmediaciones, en busca de toda clase de intereses casi siempre conectados con el hallazgo del equilibrio interior. Su incursión, especialmente en territorio del Parque Natural Amacayacu, es una experiencia que suelen tildar como 'irrepetible y reveladora'. Se trata de un encuentro cara a cara con el cosmos.

Ecotourism has shifted to the Amazon region, which has positioned itself very successfully with a hotel infrastructure worthy of the Paradise on Earth that is the Amazon. Environmental, travel and sports groups are increasing their presence in the area of Leticia and its surroundings, looking for all kinds of interests almost always connected with the discovery of inner balance. These forays, especially into the territory of the Amacayacu Park, are an experience that is typically labeled as 'unique and revealing'. This is a face-to-face meeting with the cosmos.

Colombia es el tercer país del mundo con mayor variedad de reptiles, entre los cuales se encuentra el lagarto crestado. El caimán llanero o cachirre construye sus nidos a las orillas de los ríos, erigiendo montículos de hojas. La hembra pone numerosos huevos, pero sigue siendo una de las especies más amenazadas en el país, por causa de su cacería indiscriminada. La iguana verde es un gran lagarto arborícola herbívoro. Esta especie se encuentra bajo amenaza por causa de las virtudes afrodisíacas que campesinos le atribuyen a sus huevos.

Colombia is the third country in the world with the greatest variety of reptiles, including the crested lizard. The llanero alligator or cachirre builds its nest at the banks of the rivers by erecting piles of leaves. The female lays numerous eggs but continues to be one of the most threatened species in the country due to indiscriminate hunting. The green iguana is a large arboreal herbivorous lizard and is threatened with extinction due to the aphrodisiac powers attributed to its eggs by peasants.

De semillas como ésta depende la conservación de la selva tropical húmeda de la amazonía colombiana, un ecosistema en extremo frágil. Entre las flores exóticas que Colombia exporta se encuentra la hermosa flor del platanillo, conocida como ave del paraíso. Los cactus se exportan especialmente a Europa. En cada diferencia de altitud de 500 metros aprox., se puede encontrar una asociación diferente de especies de orquídeas, y entre los 1.000 y los 1.500 msnm se registra la mayor variedad. La Victoria Regia es una enorme planta acuática de la Amazonía colombiana. Cada una de sus hojas es capaz de soportar el peso de un hombre.

The preservation of the rainforest of the Colombian Amazon, an extremely fragile ecosystem, depends on seeds like these. The plantanillo flower, known as the bird of paradise, is one of the exotic flowers exported by Colombia. Cactuses are mainly exported to Europe. A different association of orchid species can be found every 500 meters; the greatest variety is found between 1,000 and 1,500 meters above sea level. The Victoria Regia is an enormous aquatic plant of the Colombian Amazon. Each one of its leaves is capable of withstanding the weight of one man.

ediciones
gamma